Deutsch 2000

Eine Einführung in die moderne Umgangssprache

BAND 1

D1277568

MAX HUEBER VERLAG

DEUTSCH 2000
Eine Einführung in die moderne Umgangssprache
Band 1
von Roland Schäpers
in Zusammenarbeit mit Renate Luscher, Gerd Brosch und Manfred Glück

Textillustrationen: Ulrik Schramm
Einbandzeichnung: Erich Hölle
Layout: Karl Schaumann

Bildnachweis:
Bilderdienst Süddeutscher-Verlag, München, Fritz Prenzel (1, 2, 3, 4, 5, 7, 8, 9, 11, 12, 13, 20, 21); Internationales Bildarchiv Horst von Irmer, München (6, 19); Manfred Glück, München (10); Keystone, München (14); Dia Verlag Herpig & Sohn, München (15); Deutsches Museum, München (16, 17, 18)

Textquelle: Die Idee zu Lektion 21, *Im Konzert,* haben wir dem Gedicht *Gescheiterte Sammlung* von Eugen Roth entnommen (Carl Hanser Verlag, München).

12. 11. 10.   Die letzten Ziffern
2001 2000 1999 98 97   bezeichnen Zahl und Jahr des Druckes.
Alle Drucke dieser Auflage können, da unverändert,
nebeneinander benutzt werden.
7. Auflage 1978
© 1972 Max Hueber Verlag, D-85737 Ismaning
Druck: Manz AG, Dillingen
Printed in Germany
ISBN 3–19–001180–X

INHALTSVERZEICHNIS

Das ist Herr Weiß.
Er wohnt in München.

Wer ist das?
Das ist Fräulein Heim.
Sie wohnt in Köln.

Und wer ist das?
Das ist Frau Berg.
Sie wohnt in Berlin.

Das ist Herr Weiß.
Er ist Student.
Er studiert in München.

Das ist Fräulein Heim.
Sie ist Sekretärin.
Sie arbeitet in Köln.

Das ist Frau Berg.
Sie ist Verkäuferin.
Sie arbeitet in Berlin.

Ist das Herr Weiß?
Ja, das ist Herr Weiß.
Was ist er?
Er ist Student.

Wo wohnt er?
Er wohnt in München.

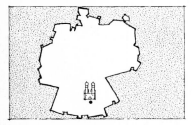

Ist das Fräulein Heim?
Ja, das ist Fräulein Heim.
Was ist sie?
Sie ist Sekretärin.

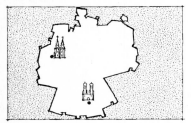

Wo wohnt sie?
Sie wohnt in Köln.

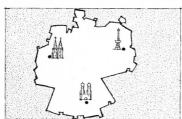

Ist das Fräulein Heim?
Nein, das ist Frau Berg.

Ist sie Sekretärin?
Nein, sie ist Verkäuferin.

Wohnt sie in Köln?
Nein, sie wohnt in Berlin.

1. Wer ist das? – Das ist . . .

Wer ist das? – Das ist Herr Weiß (Frau Berg, Fräulein Heim).

2. Was ist er? – Was ist sie?

Was ist Herr Weiß?   – Er ist Student.
Was ist Frau Berg?   – Sie ist Verkäuferin.
Was ist Fräulein Heim? – Sie ist Sekretärin.

3. wo?

Wo studiert Herr Weiß?   – Er studiert in München.
Wo wohnt Frau Berg?   – Sie wohnt in Berlin.
Wo arbeitet Fräulein Heim? – Sie arbeitet in Köln.

4. ja

Ist das   Herr Weiß?   – Ja, das ist   Herr Weiß.
Ist Herr Weiß Student?   – Ja, er   ist   Student.
Wohnt er   in München?   – Ja, er   wohnt in München.

5. nein

Wohnt Frau Berg in Köln? – Nein, sie wohnt in Berlin.

1.

> Wer ist das? (Herr Weiß) –
> Das ist Herr Weiß.

a. Wer ist das? (Herr Weiß) **b.** Wer ist das? (Frau Berg) **c.** Wer ist das? (Fräulein Heim)

2.

> Was ist Herr Weiß? (Student) –
> Er ist Student.

a. Was ist Herr Weiß? (Student) **b.** Was ist Frau Berg? (Verkäuferin) **c.** Was ist Fräulein Heim? (Sekretärin)

3.

> Wer ist Student? (Herr Weiß) –
> Herr Weiß ist Student.

a. Wer ist Student? (Herr Weiß) **b.** Wer ist Verkäuferin? (Frau Berg) **c.** Wer ist Sekretärin? (Fräulein Heim)

4.

> Wer arbeitet in Köln? (Fräulein Heim) –
> Fräulein Heim arbeitet in Köln.

a. Wer arbeitet in Köln? (Fräulein Heim) **b.** Wer wohnt in Berlin? (Frau Berg) **c.** Wer studiert in München? (Herr Weiß)

5.

> Wo arbeitet Fräulein Heim? (in Köln) –
> Sie arbeitet in Köln.

a. Wo arbeitet Fräulein Heim? (in Köln) **b.** Wo wohnt Frau Berg? (in Berlin) **c.** Wo studiert Herr Weiß? (in München)

6.

> Ist Herr Weiß Student? –
> Ja, er ist Student.

a. Ist Herr Weiß Student? **b.** Studiert er in München? **c.** Ist Frau Berg Verkäuferin? **d.** Wohnt sie in Berlin? **e.** Ist Fräulein Heim Sekretärin? **f.** Arbeitet sie in Köln?

7.

> Ist Fräulein Heim Verkäuferin? (Sekretärin) –
> Nein, sie ist Sekretärin.

a. Ist Fräulein Heim Verkäuferin? (Sekretärin) **b.** Arbeitet sie in Berlin?
(Köln) **c.** Ist Frau Berg Sekretärin? (Verkäuferin) **d.** Wohnt sie in Köln?
(Berlin) **e.** Studiert Herr Weiß in Berlin? (München)

8.
a. Herr Weiß ist Student und wohnt in München.
  Was ist Herr Weiß? . . .
  Wo wohnt er? . . .
  Wo studiert er? . . .
b. Frau Berg ist Verkäuferin und arbeitet in Berlin.
  Was ist Frau Berg? . . .
  Und wo arbeitet sie? . . .
c. Fräulein Heim ist Sekretärin und wohnt in Köln.
  Was ist Fräulein Heim? . . .
  Und wo arbeitet sie? . . .

9.
a. Herr Weiß ist Student. – Und wo studiert er? – Er . . . in München.
b. Fräulein Heim ist Sekretärin. – Und wo arbeitet sie? – Sie . . . in Köln.
c. Frau Berg ist Verkäuferin. – Arbeitet sie in München? – Nein, sie . . . in
Berlin. **d.** Wohnt Fräulein Heim in Köln? – Ja, sie . . . in Köln.

Das ist das Studio A.
Es ist in München.

Das ist der Quizmaster.
Er heißt Hans-Peter Sommerfeld.

Das ist die Ansagerin.
Sie heißt Karin Schaumann.

• Hier ist das Studio A in München.
Guten Abend, meine Damen und Herren.
Sie sehen das Quiz: Was sind Sie?

• Guten Abend.
Und hier ist das Team,
zwei Damen und zwei Herren.

- Bitte sehr, wie heißen Sie?
- Ich heiße Monika Berg.
- Was sind Sie von Beruf?
- Ich bin Verkäuferin.
- Und woher sind Sie? Aus München?
- Ja, aber ich wohne in Berlin.

- Mein Name ist Karl Zinn. Ich bin
  Reporter. Ich arbeite in München,
  aber ich wohne in Augsburg.

- Ich heiße Ingrid Heim.
  Ich bin Sekretärin und wohne in Köln.

- Ich heiße Michael Weiß und bin Student.
- Wo studieren Sie? Hier in München?
- Ja, ich bin aus Hamburg und studiere in
  München.

- Vielen Dank, meine Damen und Herren.
  Sie sind heute das Quizteam.
  Es geht los.

1. Sind Sie . . . ? – Ja, ich bin . . .

Sind Sie Herr Michael Weiß? – Ja, ich bin Michael Weiß.
Student? – Student.
aus München? – aus München.

2. Wo wohnen Sie? – Ich wohne . . .

Wo wohnen Sie? – Ich wohne in München.
Wo studieren Sie? – Ich studiere in Hamburg.
Wo arbeiten Sie? – Ich arbeite in Köln.

3. Wie heißen Sie? – Ich heiße . . .

Wie heißen Sie? – Ich heiße Michael Weiß (Monika Berg, Ingrid Heim).

4. der – er; die – sie

Wie heißt der Quizmaster? – Er heißt Hans-Peter Sommerfeld.
Wie heißt die Ansagerin? – Sie heißt Karin Schaumann.

5. das – es

Hier ist das Studio A. Es ist in München.

6. woher? wo?

Woher sind Sie, Frau Berg? – Ich bin aus München.
Wo wohnen Sie? – Ich wohne in Berlin.

7. aber

Sind Sie aus München? – Ja, ich bin aus München,
aber ich wohne in Berlin.
(Ja, aber ich wohne in Berlin.)

1.

> Sind Sie Verkäuferin, Frau Berg? –
> Ja, ich bin Verkäuferin.

a. Sind Sie Verkäuferin, Frau Berg? **b.** Sind Sie Sekretärin, Fräulein Heim?
c. Sind Sie Student, Herr Weiß? **d.** Sind Sie Reporter, Herr Zinn?

2.

> Sind Sie Ansagerin, Frau Berg? (Verkäuferin) –
> Nein, ich bin Verkäuferin.

a. Sind Sie Ansagerin, Frau Berg? (Verkäuferin) **b.** Sind Sie Reporter, Herr
Weiß? (Student) **c.** Sind Sie Verkäuferin, Fräulein Heim? (Sekretärin)
d. Sind Sie Student, Herr Zinn? (Reporter)

3.

> Was sind Sie von Beruf, Herr Weiß? (Student) –
> Ich bin Student.

a. Was sind Sie von Beruf, Herr Weiß? (Student) **b.** Was sind Sie von Beruf,
Frau Berg? (Verkäuferin) **c.** Was sind Sie von Beruf, Fräulein Heim? (Sekretärin) **d.** Was sind Sie von Beruf, Herr Zinn? (Reporter)

4.

> Sind Sie aus Augsburg, Herr Weiß? (Hamburg) –
> Nein, ich bin aus Hamburg.

a. Sind Sie aus Augsburg, Herr Weiß? (Hamburg) **b.** Sind Sie aus Köln,
Frau Berg? (München) **c.** Sind Sie aus Berlin, Herr Zinn? (Augsburg)
d. Sind Sie aus Hamburg, Fräulein Heim? (Köln)

5.

> Wohnen Sie in München, Frau Berg? (Berlin) –
> Nein, ich wohne in Berlin.

a. Wohnen Sie in München, Frau Berg? (Berlin) **b.** Arbeiten Sie in Augsburg, Herr Zinn? (München) **c.** Wohnen Sie in München, Herr Zinn? (Augsburg) **d.** Studieren Sie in Hamburg, Herr Weiß? (München)

6.

> Woher sind Sie, Frau Berg? Aus München? –
> Ja, ich bin aus München.

a. Woher sind Sie, Frau Berg? Aus München? **b.** Woher sind Sie, Fräulein Heim? Aus Köln? **c.** Woher sind Sie, Herr Weiß? Aus Hamburg? **d.** Woher sind Sie, Herr Zinn? Aus Augsburg?

7.

> Wo wohnen Sie, Herr Zinn? (Augsburg) –
> Ich wohne in Augsburg.

a. Wo wohnen Sie, Herr Zinn? (Augsburg) **b.** Wo arbeiten Sie, Fräulein Heim? (Köln) **c.** Wo studieren Sie, Herr Weiß? (München) **d.** Wo arbeiten Sie, Frau Berg? (Berlin)

8.

> Wie heißt der Quizmaster? (Hans-Peter Sommerfeld) –
> Er heißt Hans-Peter Sommerfeld.
> Wie heißt die Ansagerin? (Karin Schaumann) –
> Sie heißt Karin Schaumann.

a. Wie heißt der Quizmaster? (Hans-Peter Sommerfeld) **b.** Wie heißt die Ansagerin? (Karin Schaumann). **c.** Wie heißt der Student? (Michael Weiß) **d.** Wie heißt der Reporter? (Karl Zinn) **e.** Wie heißt die Sekretärin? (Ingrid Heim) **f.** Wie heißt die Verkäuferin? (Monika Berg)

9.

> Herr Weiß ist aus Hamburg.   Er studiert in München.
> Herr Weiß ist aus Hamburg, aber er studiert in München.

a. Herr Weiß ist aus Hamburg. Er studiert in München. **b.** Frau Berg ist aus München. Sie wohnt in Berlin. **c.** Ich bin aus Köln. Ich arbeite in Hamburg.

10.

> Wo studiert Herr Weiß? (in München) –
> Er studiert in München.

a. Wo studiert Herr Weiß? (in München) **b.** Wo ist das Studio? (in München) **c.** Wo ist das Quizteam? (im Studio) **d.** Wo wohnt Herr Zinn? (in Augsburg) **e.** Wo arbeitet die Ansagerin? (im Studio) **f.** Wo wohnt Fräulein Heim? (in Köln) **g.** Wo arbeitet Frau Berg? (in Berlin)

11.

> Hans-Peter Sommerfeld ist Quizmaster. Er ist aus Berlin.
> Der Quizmaster Hans-Peter Sommerfeld ist aus Berlin.

a. Hans-Peter Sommerfeld ist Quizmaster. Er ist aus Berlin. **b.** Michael Weiß ist Student. Er ist aus Hamburg. **c.** Karl Zinn ist Reporter. Er ist aus Augsburg. **d.** Ingrid Heim ist Sekretärin. Sie ist aus Köln. **e.** Monika Berg ist Verkäuferin. Sie ist aus Berlin. **f.** Karin Schaumann ist Ansagerin. Sie ist aus München.

12.

> Ist das der Quizmaster? –
> Ja, das ist Herr Sommerfeld.

a. Quizmaster (Herr Sommerfeld) **b.** Ansagerin (Fräulein Schaumann) **c.** Student (Herr Weiß) **d.** Reporter (Herr Zinn) **e.** Sekretärin (Fräulein Heim) **f.** Verkäuferin (Frau Berg)

Das Spiel beginnt.
Der Quizmaster ist im Studio.
Er ruft:
• Herr Fischer, bitte!

Herr Fischer kommt ins Studio.
Der Quizmaster sagt:
• Das ist Herr Peter Fischer.

• Guten Abend, Herr Fischer.
• Guten Abend, Herr Sommerfeld.

• Nehmen Sie bitte Platz, Herr Fischer.

Hier ist das Team. Zuerst fragen die
Damen und dann die Herren. Sie antworten bitte, Herr Fischer.

- Herr Fischer, arbeiten Sie in München?
- Nein, ich arbeite nicht in München.

- Reisen Sie viel?
- Ja, ich reise viel.

- Reisen Sie allein?
- Nein, ich reise nicht allein.

- Sind Sie oft im Ausland?
- Ja, ich reise oft ins Ausland.

- Und wohin reisen Sie?
  Fliegen Sie nach Südamerika?
- Ja.
- Nach Brasilien?
- Ja, ich fliege oft nach Brasilien.

- Kaufen Sie dort Kaffee?
- Nein.

- Kaufen Sie in Brasilien Tabak?
- Ja, ich kaufe dort auch Tabak.

- Sind Sie Tabakimporteur?
- Nein.

Der Quizmaster sagt:
- Das sind acht Fragen. Schluß,
meine Damen und Herren.

Herr Fischer fliegt oft nach Südamerika.
Er ist Flugkapitän, und er raucht Pfeife.
Auf Wiedersehen, meine Damen und
Herren.

1. die

die Herren – der Herr; die Damen – die Dame; die Fragen – die Frage

2. wohin? / wo? – ins / im – nach / in

Wohin reist Herr Fischer oft?	– Er reist oft ins Ausland.
Wo ist er oft?	– Er ist oft im Ausland.
Wohin fliegt Herr Weiß?	– Er fliegt nach Hamburg.
Wo wohnt er?	– Er wohnt in München.

3. nicht

Rauchen Sie?	– Nein, ich rauche nicht.
Reisen Sie allein?	– Nein, ich reise nicht allein.
Arbeiten Sie in München?	– Nein, ich arbeite nicht in München.

4. fliegen, reisen, kommen

Ich	fliege (reise)	nach	Berlin.
		ins	Ausland.
	komme	ins	Studio.
Herr Fischer	fliegt (reist)	nach	Brasilien.
		ins	Ausland.
	kommt	ins	Studio.
Die Herren	fliegen (reisen)	nach	Südamerika.
Damen		ins	Ausland.
	kommen	ins	Studio.

5. Was sagt . . . ?

Was sagt der Quizmaster? Er sagt: Das ist Herr Fischer.
Was sagt die Ansagerin? Sie sagt: Guten Abend, meine Damen und Herren.

1.

> Wer fliegt nach Südamerika? – Herr Fischer fliegt nach Südamerika.

a. Wer fliegt nach Südamerika? (Herr Fischer) **b.** Wer reist nach Köln? (Fräulein Heim) **c.** Wer fliegt nach Hamburg? (Herr Weiß) **d.** Wer reist nach Berlin? (Frau Berg) **e.** Wer fliegt nach Brasilien? (Herr Fischer)

2.

> Wer kommt ins Studio? – Herr Fischer kommt ins Studio.

a. Wer kommt ins Studio? (Herr Fischer) **b.** Wer fliegt ins Ausland? (Herr Sommerfeld) **c.** Wer kommt ins Studio? (die Ansagerin) **d.** Wer reist ins Ausland? (Fräulein Heim)

3.

> Wer ist im Studio? – Der Quizmaster ist im Studio.

a. der Quizmaster **b.** die Ansagerin **c.** der Student **d.** der Reporter **e.** die Verkäuferin **f.** die Sekretärin

4.

> Rauchen Sie viel? – Ja, ich rauche viel.

a. Rauchen Sie viel? **b.** Kaufen Sie in Brasilien Tabak? **c.** Fliegen Sie oft ins Ausland? **d.** Arbeiten Sie in München? **e.** Wohnen Sie in Köln? **f.** Reisen Sie nach Berlin? **g.** Rauchen Sie Pfeife?

5.

> Reisen Sie allein? – Nein, ich reise nicht allein.

a. Reisen Sie allein? **b.** Studieren Sie hier? **c.** Fliegen Sie oft? **d.** Arbeiten Sie viel? **e.** Wohnen Sie hier? **f.** Rauchen Sie viel?

6.

> Sind Sie oft in Hamburg? – Nein, ich bin nicht oft in Hamburg.

a. Sind Sie oft in Hamburg? **b.** Sind Sie oft in Brasilien? **c.** Sind Sie oft in Berlin? **d.** Sind Sie oft in München? **e.** Sind Sie oft in Südamerika? **f.** Sind Sie oft in Köln?

7.

> Ist der Quizmaster oft im Studio? – Ja, er ist oft im Studio.

a. Ist der Quizmaster oft im Studio? Ja, er... **b.** Ist Fräulein Heim oft in Brasilien? Nein, sie... **c.** Ist die Ansagerin oft im Studio? Ja,... **d.** Ist Herr Weiß oft in Berlin? Nein,... **e.** Ist der Flugkapitän oft in Südamerika? Ja,... **f.** Ist Herr Fischer oft in Köln? Nein,... **g.** Ist Frau Berg oft in Berlin? Ja,...

8.

> Wohin fliegt Herr Fischer oft? (nach Brasilien) –
> Er fliegt oft nach Brasilien.

a. Wohin fliegt Herr Fischer oft? (nach Brasilien) **b.** Woher ist Frau Berg? (aus München) **c.** Wo wohnt Herr Zinn? (in Augsburg) **d.** Wohin reisen Sie oft? (ins Ausland) **e.** Woher ist Herr Weiß? (aus Hamburg) **f.** Wo wohnt Fräulein Heim? (in Köln) **g.** Wo ist die Ansagerin? (im Studio)

9.

> Was sagt der Quizmaster? – Er sagt: Das ist Herr Fischer.

a. der Quizmaster (Das ist Herr Fischer.) **b.** die Ansagerin (Sie sehen das Quiz: Was sind Sie?) **c.** der Flugkapitän (Ja, ich kaufe dort auch Tabak.) **d.** Herr Weiß (Ja, ich bin Student.) **e.** Herr Zinn (Ich bin Reporter.) **f.** Herr Sommerfeld (Auf Wiedersehen, meine Damen und Herren.) **g.** Frau Berg (Ich wohne in Berlin.) **h.** Fräulein Heim (Ich bin Sekretärin.)

Das sind Hans und Eva Kaufmann.
Sie wohnen in Nürnberg.

Er ist Journalist,

und sie ist Lehrerin.

Heute abend haben sie Gäste.

Jetzt sind sie im Supermarkt.
Hans fragt:
- Was brauchen wir denn noch für heute abend?
- Ich brauche noch ein Schwarzbrot und zwei Weißbrote, eine Dose Sardinen, Käse, Tomaten und eine Ananas.

- Da ist Salami.
- Nein, wir brauchen keine Wurst mehr. Ich habe genug zu Hause.

- Brauchen wir noch Wein?
- Nein, wir haben noch zwei Flaschen Rotwein. Aber wir haben kein Bier mehr.
- Haben wir genug Zigaretten?

- Ja. Marion raucht nicht, und Andreas raucht keine Zigaretten. Er raucht Pfeife.

Die Kassiererin sagt:
- Das macht sechzehn Mark.
- Zehn, fünfzehn, sechzehn. Bitte sehr.
- Vielen Dank. Auf Wiedersehen!

Hier ist der Kassenzettel. Das Weißbrot kostet 2 Mark, das Schwarzbrot 1 Mark 20, das Pfund Tomaten 70 Pfennig, die Dose Sardinen 1 Mark 60, die Ananas 6 Mark. Sechs Flaschen Bier kosten 3 Mark und der Käse 1 Mark 50. Das macht zusammen 16 Mark.

23

1. die – sie

Das sind Herr und Frau Kaufmann.   Sie wohnen in Nürnberg.
Hier sind die Zigaretten.   Sie kosten zwei Mark.

2. ich brauche – wir brauchen

Ich brauche ein Weißbrot (eine Salami, eine Dose Sardinen).
Wir brauchen noch Bier (Rotwein, Käse).

3. ein/eine – kein/keine

Ich brauche noch ein Schwarzbrot. Wir haben kein Schwarzbrot mehr.
eine Salami.   keine Salami mehr.
Tomaten.   keine Tomaten mehr.

4. noch

Haben wir noch Rotwein? – Ja, wir haben noch Rotwein.
Brauchen wir noch Bier? – Nein, wir haben noch fünf Flaschen.

5. Zahlen

1	2	3	4	5	6	7	8	9	10
eins	zwei	drei	vier	fünf	sechs	sieben	acht	neun	zehn

11	12	13	16	17	20
elf	zwölf	dreizehn…	sechzehn	siebzehn …	zwanzig

21	22	23	30
einundzwanzig	zweiundzwanzig	dreiundzwanzig …	dreißig

40	50	60	70	80	90	100
vierzig	fünfzig	sechzig	siebzig	achtzig	neunzig	hundert

6. Was kostet . . . ? – Was kosten . . . ?

Was kostet ein Schwarzbrot? –
Ein Schwarzbrot kostet 1 Mark 20 (1,20 DM).

Was kosten zwei Weißbrote? –
Zwei Weißbrote kosten 2 Mark (2,— DM).

Was kostet eine Zigarette? –
Eine Zigarette kostet 10 Pfennig (–,10 DM).

4 C

1.

Wo sind die Damen? (im Studio) – Sie sind im Studio.

a. Wo sind die Damen? (im Studio) **b.** Wo wohnen Hans und Eva Kaufmann? (in Nürnberg) **c.** Wo wohnen Herr und Frau Berg? (in Köln) **d.** Wo sind Herr Zinn und Herr Weiß? (im Studio) **e.** Wo sind die Herren? (im Studio) **f.** Wo sind Hans und Eva Kaufmann? (im Supermarkt)

2.

Was kosten die Zigaretten? (2 Mark) – Sie kosten 2 Mark.

a. Was kosten die Zigaretten? (2 Mark) **b.** Was kosten drei Weißbrote? (3 Mark) **c.** Was kosten die Tomaten? (2 Mark 80) **d.** Was kosten zwei Dosen Sardinen? (3 Mark 20) **e.** Was kosten vier Pfund Tomaten? (2 Mark 80)

3.

Was kostet der Käse? (1 Mark 50) – Er kostet 1 Mark 50.

a. Was kostet der Käse? (1 Mark 50) **b.** Was kostet das Weißbrot? (1 Mark) **c.** Was kostet die Wurst? (4 Mark 20) **d.** Was kostet der Rotwein? (2 Mark 80) **e.** Was kostet die Dose Sardinen? (1 Mark 60)

4.

> Was brauchen Sie noch? (Zigaretten) – Ich brauche noch Zigaretten.

a. Zigaretten **b.** Käse **c.** Rotwein **d.** Tomaten **e.** Kaffee **f.** Tabak

5.

> Was brauchen wir noch? (zwei Weißbrote) –
> Wir brauchen noch zwei Weißbrote.

a. zwei Weißbrote **b.** fünf Flaschen Bier **c.** drei Flaschen Rotwein **d.** eine Dose Sardinen **e.** zwei Pfund Tomaten

6.

> Was braucht Frau Kaufmann noch? (das Weißbrot, die Ananas) –
> Sie braucht noch ein Weißbrot (eine Ananas).

a. das Weißbrot **b.** das Schwarzbrot **c.** die Ananas **d.** die Salami

7.

> Wir haben kein Bier (keine Wurst, keine Zigaretten) mehr.

a. das Bier **b.** das Schwarzbrot **c.** das Weißbrot **d.** die Wurst **e.** die Salami
f. die Ananas **g.** die Zigaretten **h.** die Tomaten **i.** die Sardinen

8.

> Haben wir noch Rotwein? – Ja, wir haben noch genug.

a. Rotwein **b.** Zigaretten **c.** Bier **d.** Käse **e.** Tomaten **f.** Weißbrot

9.

> Wir haben kein Bier mehr. Wir brauchen noch fünf Flaschen.

a. Bier (fünf Flaschen) **b.** Wurst (zwei Pfund) **c.** Weißbrot (zwei Weißbrote)
d. Salami (zwei Salami) **e.** Tomaten (ein Pfund)

Test 1

A. der (1) die (2) das (3)
a. ... Ansagerin **b.** ... Quizmaster **c.** ... Sekretärin **d.** ... Student
e. ... Quiz **f.** ... Reporter **g.** ... Studio **h.** ... Verkäuferin **i.** ... Journalist **j.** ... Team **k.** ... Supermarkt **l.** ... Flugkapitän **m.** ... Käse
n. ... Bier **o.** ... Rotwein **p.** ... Salami **q.** ... Schwarzbrot

B. wo (1) woher (2) wohin (3)
a. ... arbeiten Sie, Herr Zinn? **b.** ... fliegen Sie, Herr Fischer? **c.** ...
wohnen Sie, Frau Berg? **d.** ... sind Sie, Herr Kaufmann? **e.** ... reisen
die Herren? **f.** ... ist das Studio? **g.** ... studieren Sie, Herr Weiß?

C. er (1) sie (2) es (3)
a. Das ist Herr Sommerfeld. ... ist Quizmaster. **b.** Das ist Fräulein
Heim. ... wohnt in Köln. **c.** Das ist die Ansagerin. ... heißt Karin
Schaumann. **d.** Das ist das Studio. ... ist in München. **e.** Das ist die
Verkäuferin. ... heißt Monika Berg. **f.** Das ist eine Ananas. ... kostet
sechs Mark. **g.** Das ist Herr Weiß. ... studiert in München.

D. bin (1) ist (2) sind (3)
a. Das ... eine Salami. **b.** Die Damen ... im Studio. **c.** Ich ... Student. **d.** Frau Berg ... Verkäuferin. **e.** Die Herren ... aus Hamburg.
f. Hans und Eva ... im Supermarkt. **g.** ... Fräulein Heim Sekretärin?

E. nach (1) ins (2) in (3) im (4)
a. Frau Berg wohnt ... Berlin. **b.** Herr Fischer fliegt ... Ausland. **c.** Ich
reise ... Hamburg. **d.** Er arbeitet ... München. **e.** Sie ist ... Studio.
f. Er ist ... Supermarkt. **g.** Die Herren sind ... Köln. **h.** Die Damen
fliegen ... Hamburg.

F. wer (1) was (2) wie (3)
a. ... ist Quizmaster? **b.** ... heißt die Ansagerin? **c.** ... ist Reporter?
d. ... sind Sie von Beruf? **e.** ... sagt die Ansagerin? **f.** ... heißen Sie?
g. ... sagt: Guten Abend? **h.** ... kosten die Zigaretten? **i.** ... kostet
der Rotwein?

Herr Neumann hat Hunger und
geht in ein Restaurant.

Am Fenster sitzen zwei Herren.
Er begrüßt sie.
- Guten Tag, Herr Schneider,
Tag, Herr Kühn.

- Ja, Herr Neumann, guten Tag.
Wie geht's?
- Danke, gut.
Ist hier noch frei?
- Ja bitte, nehmen Sie Platz.
- Herr Ober, die Speisekarte, bitte.

Herr Neumann nimmt Platz. Der Ober
bringt die Speisekarte, und die
Gäste bestellen.

- Ich nehme eine Tomatensuppe und
ein Beefsteak.
- Ich möchte einen Kalbsbraten.
- Und ich esse ein Kotelett.
- Tut mir leid. Es gibt nur noch Wiener
Schnitzel. Es ist schon spät.

- Was, Sie haben keinen Kalbsbraten mehr? Wie spät ist es denn?
- Es ist jetzt zwanzig vor drei.

- So spät schon? Na gut. Dann nehmen wir drei Schnitzel.
- Und was trinken die Herren?
- Wir haben Durst. Bringen Sie bitte drei Bier.

- Nein, ich trinke kein Bier.
- Möchten Sie einen Saft?
- Ja, einen Apfelsaft, bitte.
- Also: eine Tomatensuppe, drei Schnitzel, zwei Bier und einen Apfelsaft.

Der Ober bringt das Essen und die Getränke.
- Und nachher einen Kaffee, bitte!
- Ich trinke einen Espresso.
- Und ich einen Mokka.

Der Ober geht in die Küche und bestellt einen Kaffee, einen Mokka und einen Espresso.

29

1. ich (er/sie) möchte . . .

Ich möchte ein Bier. Was möchte Herr Kühn? Er möchte ein Schnitzel.
Und was möchten Sie, Frau Berg?   Ich möchte ein Kotelett.

2. ich habe, nehme, esse, trinke – er/sie hat, nimmt, ißt, trinkt

Ich habe	Hunger.	Herr Weiß (Frau Berg)	hat Durst.
Ich nehme	ein Kotelett.	Herr Weiß	nimmt ein Schnitzel.
Ich esse	Kalbsbraten.	Fräulein Heim	ißt Tomatensuppe.
Ich trinke	Apfelsaft.	Frau Berg	trinkt Kaffee.

3. ein/einen – kein/keinen

Möchten Sie ein   Bier?   – Nein danke, ich trinke kein   Bier.
Möchten Sie einen Apfelsaft? – Nein danke, ich trinke keinen Apfelsaft.

4. sie

Im Restaurant sitzen zwei Herren. Herr Neumann begrüßt sie.
Im Studio sitzen drei Damen.   Der Quizmaster begrüßt sie.

Fräulein Heim sitzt im Studio.   Der Quizmaster begrüßt sie.

5. vor – nach

Wie spät ist es? – Es ist jetzt   5 vor 2   10 nach 3
                                   10 vor 4   5 nach 9
                                   20 vor 7   20 nach 10

                                   halb 10
                                   Viertel vor 2   Viertel nach 5
                                   5 vor halb 10   5 nach halb 10

1.

Herr Neumann möchte (bestellt, nimmt) ein Schnitzel.

a. Schnitzel **b.** Kotelett **c.** Beefsteak **d.** Bier

2.

Ich habe (er/sie hat) Durst. Ich (er/sie) möchte einen Apfelsaft.

a. Apfelsaft **b.** Kaffee **c.** Rotwein **d.** Mokka **e.** Espresso

3.

Möchten Sie einen Mokka? – Nein danke, ich trinke keinen Mokka.
Ja, bringen Sie bitte einen Mokka.

a. Apfelsaft **b.** Kaffee **c.** Mokka **d.** Espresso **e.** Rotwein

4.

Möchten Sie ein Schnitzel? – Nein danke, ich esse kein Schnitzel.

a. Schnitzel **b.** Kotelett **c.** Beefsteak

5.

Was möchten Sie? – Ich nehme einen Kalbsbraten.

a. Kalbsbraten **b.** Rotwein **c.** Kaffee **d.** Apfelsaft **e.** Mokka **f.** Espresso

6.

Frau Berg ist im Restaurant. Sie ißt ein Schnitzel (eine Tomatensuppe, einen Kalbsbraten).

a. Schnitzel **b.** Kalbsbraten **c.** Kotelett **d.** Tomatensuppe **e.** Beefsteak

7.

> Herr Weiß nimmt ein Schnitzel und ein Bier.
> Der Ober bringt ein Schnitzel und ein Bier.

a. Herr Weiß (Schnitzel, Bier) **b.** Herr Kühn (Kalbsbraten, Apfelsaft) **c.** Frau Berg (Kotelett, Rotwein) **d.** Fräulein Heim (Beefsteak, Kaffee)

8.

> Wir haben keinen Kalbsbraten mehr. Es gibt nur noch Schnitzel.

a. Kalbsbraten (Schnitzel) **b.** Espresso (Mokka) **c.** Schnitzel (Tomatensuppe) **d.** Bier (Apfelsaft)

9.

> Brauchen wir noch Rotwein? –
> Nein, wir brauchen keinen Rotwein mehr.

a. Rotwein **b.** Bier **c.** Käse **d.** Schwarzbrot **e.** Kaffee **f.** Weißbrot **g.** Salami

10.

> Herr Weiß und Herr Kühn trinken Bier. Frau Berg trinkt Kaffee.

a. Bier (Kaffee) **b.** Apfelsaft (Mokka) **c.** Espresso (Apfelsaft) **d.** Bier (Rotwein)

11.

> Haben wir noch Weißbrot? –
> Nein, wir haben kein Weißbrot mehr.

a. Weißbrot **b.** Käse **c.** Schwarzbrot **d.** Rotwein **e.** Apfelsaft **f.** Bier **g.** Kaffee **h.** Tomatensuppe **i.** Sardinen

12.

Am Fenster sitzen zwei Herren. Herr Neumann begrüßt sie.

a. Am Fenster sitzen zwei Herren. (Herr Neumann) **b.** Im Studio sitzen drei Damen. (Quizmaster) **c.** Im Restaurant sitzen acht Gäste. (Ober) **d.** Im Supermarkt sind Herr und Frau Kaufmann. (Kassiererin) **e.** Im Studio sind fünf Herren. (Ansagerin)

13.

Fräulein Heim ist im Studio. Der Quizmaster begrüßt sie.

a. Fräulein Heim – Studio (der Quizmaster) **b.** Frau Berg – Restaurant (Herr Kühn) **c.** Eva Kaufmann – Supermarkt (die Kassiererin) **d.** Karin Schaumann – Restaurant (Herr Fischer)

14.

Was sagt Hans? –
Er sagt, Marion raucht nicht.

a. Marion raucht nicht. **b.** Andreas raucht Pfeife. **c.** Wir haben noch zwei Flaschen Rotwein. **d.** Wir haben noch genug Zigaretten. **e.** Da ist Salami.

15.

Wie spät ist es? (3) –
Es ist jetzt (schon) 3.

a. 3 **b.** 9 **c.** 5 vor 4 **d.** 10 nach 10 **e.** Viertel nach 7 **f.** 10 vor 12 **g.** halb 8 **h.** Viertel vor 4 **i.** 5 vor halb 12

16.

Was macht das? –
Das macht 5 Mark 10 (5,10 DM).

a. 5,10 DM **b.** 8,06 DM **c.** 11,85 DM **d.** 21,77 DM **e.** 5,25 DM **f.** 16,90 DM

- Entschuldigen Sie, bitte, wie komme ich zum Marktplatz?
- Zum Marktplatz? – Ich kenne Stuttgart nicht gut. Ich nehme immer den Bus. Der hält dahinten.

Aber warten Sie mal. Sehen Sie dahinten den Fernsehturm? Fahren Sie in diese Richtung, dann kommen Sie zum Hauptbahnhof. Fragen Sie da nochmal.
- Danke!

Entschuldigung! Zum Marktplatz, bitte!
- Tut mir leid, den kenne ich nicht. Ich bin nicht von hier. Einen Augenblick, ich frage mal.

Entschuldigen Sie, wie kommt man zum Marktplatz?
- Der ist dahinten. Nehmen Sie die Straßenbahn. Die fährt zum Hauptpostamt. Von da ist der Marktplatz nicht mehr weit.

- Wohin möchten Sie? Zum Marktplatz? Das ist ganz einfach.

Sie fahren immer geradeaus.

Dann nach links zum Schloßplatz.

Dort fahren Sie nach rechts.

Da ist eine Kirche, und von dort sieht man das Rathaus und den Marktplatz.

• Sie kennen die Stadt aber gut. Woher sind Sie?
• Aus Nigeria.
• Aha! Vielen Dank auch!

1. der/den, die, das

Wo ist	der Fernsehturm?	Dahinten sehen Sie den Fernsehturm.
Wie heißt	die Kirche da?	Ich kenne die Kirche nicht.
Wo ist	das Rathaus?	Dort links sehen Sie das Rathaus.

2. ich fahre, halte, sehe – er/sie fährt, hält, sieht

Ich fahre zum Rathaus.	Der Bus	fährt zum Rathaus.
Ich halte am Marktplatz.	Die Straßenbahn	hält am Marktplatz.
Ich sehe den Fernsehturm.	Herr Kühn	sieht den Fernsehturm.

3. wohin? – zum

Wohin fahren Sie jetzt? – Ich fahre zum Hauptbahnhof.

4. wo? – am

Wo hält der Bus? – Der Bus hält am Schloßplatz.

5. der, die, das

Wo ist der Quizmaster? – Der ist im Studio.
Wo ist die Ansagerin? – Die ist im Studio.
Wo ist das Studio A? – Das ist in München.

6. den, die, das

Wie heißt der Reporter? – Tut mir leid, den kenne ich nicht.
Wie heißt die Verkäuferin? – Tut mir leid, die kenne ich nicht.
Wo ist das Restaurant? – Tut mir leid, das kenne ich nicht.

7. man

Bitte, wie kommt man zum Rathaus?
Dahinten sieht man den Fernsehturm.

1.

> Entschuldigen Sie, bitte, wo wohnt Herr Weiß? –
> Er wohnt am Marktplatz.

a. Herr Weiß (Marktplatz) **b.** Frau Berg (Rathaus) **c.** Herr Zinn (Schloß-platz) **d.** Fräulein Heim (Fernsehturm) **e.** Herr Kühn (Hauptbahnhof) **f.** Herr Schneider (Hauptpostamt)

2.

> Entschuldigen Sie, bitte, wie komme ich zum Fernsehturm? –
> Fahren Sie zum Rathaus. Von da ist der Fernsehturm nicht mehr weit.

a. Fernsehturm (Rathaus) **b.** Studio (Schloßplatz) **c.** Marktplatz (Rat-haus) **d.** Hauptbahnhof (Hauptpostamt) **e.** Restaurant (Supermarkt)

3.

> Wohin möchten Sie? –
> Ich möchte zum Rathaus.

a. Rathaus **b.** Fernsehturm **c.** Hauptbahnhof **d.** Studio **e.** Schloßplatz **f.** Marktplatz **g.** Supermarkt

4.

> Bitte, wo ist der Marktplatz? –
> Sehen Sie den Hauptbahnhof (das Rathaus)?
> Dort fahren Sie nach rechts.
> Dann kommen Sie zum Marktplatz.

a. der Marktplatz (der Hauptbahnhof, nach rechts) **b.** der Schloßplatz (der Fernsehturm, nach links) **c.** der Hauptbahnhof (der Supermarkt, immer geradeaus) **d.** das Rathaus (das Postamt, nach links) **e.** das Hauptpostamt (das Restaurant, nach rechts)

5.

> Hält der Bus am Hauptbahnhof? –
> Ja, der hält am Hauptbahnhof.

a. Hauptbahnhof **b.** Schloßplatz **c.** Fernsehturm **d.** Hauptpostamt **e.** Marktplatz **f.** Rathaus

6.

> Fährt die Straßenbahn zum Schloßplatz? –
> Nein, die fährt zum Fernsehturm.

a. Schloßplatz, Fernsehturm **b.** Hauptbahnhof, Marktplatz **c.** Rathaus, Hauptpostamt **d.** Fernsehturm, Hauptbahnhof

7.

> Kennen Sie den Quizmaster? –
> Ja (nein), den kenne ich (nicht).

a. der Quizmaster, ja **b.** der Reporter, nein **c.** der Flugkapitän, nein **d.** der Schloßplatz, ja **e.** der Fernsehturm, ja **f.** der Ober, ja

8.

> Kennen Sie die Lehrerin (das Rathaus)? – Ja, die (das) kenne ich.

a. die Lehrerin **b.** die Sekretärin **c.** die Verkäuferin **d.** Fräulein Heim **e.** Frau Berg **f.** das Rathaus **g.** das Studio **h.** das Restaurant

9.

> Herr Weiß (Frau Berg) möchte zum Hauptpostamt. Er (sie) nimmt die Straßenbahn (den Bus).

a. Herr Weiß, das Hauptpostamt, die Straßenbahn **b.** Frau Berg, das Rathaus, der Bus **c.** Fräulein Heim, der Schloßplatz, die Straßenbahn **d.** der Reporter, der Fernsehturm, der Bus

10.

> Bitte, wie kommt man zum Schloßplatz? –
> Das ist ganz einfach. Nehmen Sie den Bus (die Straßenbahn).
> Der (die) fährt zum Schloßplatz.

a. Schloßplatz, Bus **b.** Bahnhof, Straßenbahn **c.** Fernsehturm, Bus **d.** Hauptpostamt, Straßenbahn **e.** Marktplatz, Bus

11.

> Sie kennen Stuttgart aber gut. Sind Sie von hier? –
> Nein, ich bin aus Nürnberg.

a. Stuttgart, Nürnberg **b.** München, Berlin **c.** Köln, Augsburg **d.** Berlin, Hamburg

12.

> Bitte, wie komme ich zum Schloßplatz? –
> Gehen Sie in diese Richtung, dann kommen Sie zum Rathaus. Von da ist der Schloßplatz nicht mehr weit.

a. Schloßplatz – Rathaus **b.** Hauptbahnhof – Marktplatz **c.** Studio A – Fernsehturm **d.** Hauptpostamt – Schloßplatz **e.** Rathaus – Supermarkt

13.

> Entschuldigen Sie bitte, ich habe eine Frage. Wohnt hier Herr Kühn? –
> Tut mir leid, den kenne ich nicht. Aber warten Sie einen Augenblick. Ich frage mal.

a. Wohnt hier Herr Kühn? **b.** Arbeitet hier Herr Kaufmann? **c.** Wohnt hier Fräulein Heim? **d.** Ist hier das Studio A? **e.** Arbeitet hier Frau Kaufmann?

Herr Fuchs ist ärgerlich. Er hat es eilig, und sein Wagen ist kaputt. Er geht zu Fuß ins Büro.
Seine Sekretärin schreibt gerade einen Brief.

- Guten Morgen, Fräulein Heim. Wann geht mein Flugzeug?
- Guten Morgen, Herr Fuchs. Einen Augenblick, ich sehe nach. Die Maschine geht um 9 Uhr 30.

- Wie spät ist es denn? Meine Uhr steht. Fräulein Heim sieht auf ihre Uhr.
- Es ist halb neun.
- Gut, dann habe ich noch eine Viertelstunde Zeit. Ich brauche ein Taxi zum Flughafen. Mein Wagen ist kaputt.

Fräulein Heim ruft die Taxizentrale an.
- Schicken Sie bitte einen Wagen in die Ludwigstraße 12. Wir haben es eilig. Danke.
Ihr Taxi kommt sofort.

- Wann bin ich in Frankfurt?
- Sie kommen um 10 Uhr 20 an. Ihre Besprechung beginnt um 11 Uhr. Sie haben also nicht viel Zeit. Sind Sie morgen wieder im Büro?

• Ja, aber ich komme erst um zehn. Rufen Sie bitte Herrn Baumann an, und verschieben Sie unsere Besprechung auf 11 Uhr. Und bestellen Sie einen Tisch im Hotel Vier Jahreszeiten für 12 Uhr. Wir gehen morgen zusammen essen.

• In Ordnung. Ist das alles?
• Ich glaube ja. Mein Taxi ist da. Auf Wiedersehen.
• Ich wünsche einen guten Flug. Haben Sie alles?

• Meinen Paß habe ich, meine Brieftasche, meine Papiere. Ja, alles da. Rufen Sie bitte die Werkstatt an.
• Wo steht denn Ihr Wagen?
• Am Hauptbahnhof.
• Also bis morgen.

Um neun Uhr ruft Herr Fuchs seine Sekretärin an.
• Ja, hier Fuchs, Fräulein Heim, haben Sie meinen Flugschein?
• Ihr Ticket? Oh, tut mir leid, Herr Fuchs, das liegt hier.

1. anrufen, ankommen

Fräulein Heim	schreibt	einen Brief.	
Sie	ruft	die Taxizentrale	an.
Herr Fuchs	kommt	um 10 Uhr 20 in Frankfurt	an.
Er	hat	noch eine Viertelstunde	Zeit.
Er	geht	morgen um 12 Uhr	essen.
Er	braucht	ein Taxi	zum Flughafen.
Das Taxi	ist	schon	da.

2. Bestellen Sie bitte . . .

Bestellen Sie bitte einen Tisch im Hotel Vier Jahreszeiten!
Rufen Sie bitte Herrn Baumann an!

3. mein/meine

Wo   steht   mein (Ihr, sein, ihr, unser) Wagen?
Wann geht   mein (Ihr, sein, ihr, unser) Flugzeug?
Wann beginnt meine (Ihre, seine, ihre, unsere) Besprechung?

Sind   das   meine (Ihre, seine, ihre, unsere) Papiere?

4. meinen, Ihren, seinen, ihren, unseren

Ich brauche meinen Paß.	(meine	Brieftasche, mein	Ticket)
Brauchen Sie Ihren Wagen heute?	(Ihre	Brieftasche, Ihr	Ticket)
Braucht er seinen Paß?	(seine	Brieftasche, sein	Ticket)
Braucht sie ihren Paß?	(ihre	Uhr,	ihr	Ticket)
Kennen Sie unseren Lehrer?	(unsere	Lehrerin,	unser Büro)

5. Herrn

Rufen Sie bitte Herrn Baumann an!

1.

> Fräulein Heim, wo ist mein Wagen? –
> Ihr Wagen steht am Hauptbahnhof.

a. Wo ist . . . Wagen? . . . Wagen steht am Hauptbahnhof. **b.** Wann kommt
. . . Taxi? . . . Taxi kommt sofort. **c.** Wo ist . . . Paß? . . . Paß ist im Büro.
d. Wann geht . . . Flugzeug? . . . Flugzeug geht um 9 Uhr 30. **e.** Wo ist . . .
Ticket? . . . Ticket ist im Büro. **f.** Wo ist . . . Brief? . . . Brief liegt im Wagen.

2.

> Fräulein Heim, wann geht meine Maschine? –
> Einen Augenblick, ich sehe nach. Ihre Maschine geht um 9 Uhr 30.

a. Wann geht . . . Maschine? . . . Maschine geht um 9 Uhr 30. **b.** Wo ist
. . . Brieftasche? . . . Brieftasche ist im Büro. **c.** Wo ist . . . Uhr? . . . Uhr
liegt hier. **d.** Wann beginnt . . . Besprechung? . . . Besprechung beginnt um
11 Uhr.

3.

> Herr Fuchs (Fräulein Heim) ist ärgerlich. Sein (ihr) Wagen ist kaputt.

a. . . . Wagen ist kaputt. **b.** . . . Taxi kommt nicht. **c.** . . . Ticket ist im Büro.
d. . . . Paß ist nicht da. **e.** . . . Bus kommt nicht. **f.** . . . Flugzeug geht schon
um 9 Uhr.

4.

> Herr Fuchs (Fräulein Heim) hat es eilig. Seine (ihre) Maschine geht
> schon um 9 Uhr.

a. . . . Maschine geht schon um 9 Uhr. **b.** . . . Besprechung beginnt um
11 Uhr. **c.** Aber . . . Brieftasche ist nicht da. **d.** Aber . . . Sekretärin ist nicht
im Büro. **e.** . . . Gäste warten im Restaurant.

5.

> Nehmen wir ein Taxi? – Nein, da kommt unser Bus.

a. Nehmen wir ein Taxi? – Nein, da kommt . . . Bus. **b.** Trinken wir ein Bier? – Nein, da kommt . . . Kaffee. **c.** Trinken wir noch einen Kaffee? – Nein, da kommt . . . Taxi. **d.** Kennen Sie Herrn Schneider? – Ja, das ist . . . Lehrer. **e.** Kennen Sie Herrn Sommerfeld? – Ja, das ist . . . Quizmaster.

6.

> Wann ist unsere Besprechung? – Morgen um 11 Uhr.

a. Wann ist . . . Besprechung? – Morgen um 11 Uhr. **b.** Wann geht . . . Maschine? – Um 9 Uhr 30. **c.** Wo ist . . . Besprechung? – Im Hotel Vier Jahreszeiten. **d.** Wie heißt . . . Lehrerin? – Sie heißt Eva Kaufmann.

7.

> Sind das Ihre Papiere? – Ja, das sind meine Papiere.

a. Sind das . . . Papiere? **b.** Sind das . . . Briefe? **c.** Sind das . . . Zigaretten? **d.** Sind das . . . Tickets? **e.** Sind das . . . Tomaten?

8.

> Sagen Sie Herrn Fuchs (Frau Berg), seine (ihre) Gäste sind da!

a. (Herr Fuchs), . . . Gäste sind da. **b.** (Frau Berg), . . . Zigaretten liegen hier. **c.** (Herr Neumann), . . . Tickets liegen im Büro. **d.** (Fräulein Heim), . . . Gäste warten im Studio. **e.** (Herr Kühn), . . . Briefe liegen im Hotel.

9.

> Fräulein Heim, wo sind unsere Tickets? – Die sind im Büro.

a. Tickets (Büro) **b.** Gäste (Restaurant) **c.** Papiere (zu Hause) **d.** Zigaretten (hier)

10.

> Rufen Sie bitte die Werkstatt an!
> Ich brauche sofort meinen Wagen.

a. Werkstatt, Wagen **b.** Herrn Neumann, Brief **c.** das Hotel, Paß **d.** Fräulein Heim, Flugschein

11.

> Herr Kühn (Frau Berg) hat es eilig. Er (sie) möchte seinen (ihren) Apfelsaft sofort.

a. Apfelsaft **b.** Rotwein **c.** Kalbsbraten **d.** Kaffee **e.** Mokka **f.** Espresso

12.

> Wo haben Sie Ihren Wagen? –
> Der steht am Hauptbahnhof.

a. der Wagen (... steht am Hauptbahnhof) **b.** der Paß (... ist im Büro) **c.** der Brief (... ist im Hotel) **d.** der Tabak (... liegt im Wagen)

13.

> Kennen Sie unseren Quizmaster? –
> Nein, den kenne ich noch nicht.

a. der Quizmaster **b.** der Fernsehturm **c.** der Hauptbahnhof **d.** der Flugkapitän **e.** der Lehrer

14.

> Fräulein Heim, wann kommt die Maschine an? –
> Augenblick, ich rufe den Flughafen an.

a. die Maschine, der Flughafen **b.** Herr Schneider, sein Büro **c.** der Quizmaster, das Studio

Fräulein Heim telefoniert

• Können Sie bitte für morgen mittag,
  zwölf Uhr, einen Tisch für zwei Personen
  reservieren?
• Ja, für wen, bitte?
• Für Herrn Fuchs.
• In Ordnung.
• Vielen Dank. Auf Wiederhören.
  Dann ruft sie die Werkstatt an.
• Autohaus Neureuther, guten Tag.
• Hier Firma Fuchs. Ich möchte einen
  Wagen zur Reparatur anmelden.
• Ich verbinde Sie mit der Werkstatt.
  Augenblick, Herr Meier spricht gerade.

• Hier Meier!
• Guten Tag, Herr Meier. Hier Heim. Herr
  Meier, unser Wagen hat eine Panne. Er
  steht am Hauptbahnhof. Können Sie je-
  mand hinschicken?
• Was fehlt denn?

• Das weiß ich nicht. Ich glaube, Sie müs-
  sen ihn abschleppen.
• Augenblick, ich muß erst nachsehen.
  Ich glaube, im Moment ist niemand frei.
  Wir haben heute sehr viel Arbeit. –
  Bleiben Sie bitte am Apparat.

  Fräulein Heim, können wir den Wagen
  nicht morgen holen?
• Nein, das geht nicht. Herr Fuchs braucht
  ihn spätestens morgen mittag.
• Na gut, dann muß ich ihn heute nachmittag abschleppen.

- Noch etwas, Herr Meier. Können Sie auch gleich den Kundendienst machen?
- Augenblick, ich muß noch einmal nachsehen. – Bis wann braucht Ihr Chef den Wagen wieder?
- Bis morgen mittag.

- Also, versprechen kann ich das nicht. Können Sie mich heute vor fünf Uhr noch einmal anrufen?
- Ja, ist gut.
- Dann brauche ich nur noch den Autoschlüssel. Können Sie ihn herbringen?

- Oh je, den Schlüssel habe ich nicht. Den hat Herr Fuchs.
- Das ist schlecht. Dann kann ich nichts machen. Dann muß Ihr Chef eben morgen zu Fuß gehen.

1. kann, muß – können, müssen

Ich (er/sie) kann muß
Wir (sie, Sie) können müssen

Der Schlüssel ist nicht da. Herr Meier kann den Wagen nicht abschleppen.
Der Wagen ist kaputt. Fräulein Heim muß die Werkstatt anrufen.

Können wir den Wagen morgen holen?
Müssen Sie zu Fuß gehen?

2. mich, ihn, Sie

Können Sie mich mit Herrn Meier verbinden?

Der Wagen ist kaputt. Können Sie ihn abschleppen?
Gleich kommt Herr Meier. Kennen Sie ihn?

Warten Sie bitte! Ich verbinde Sie mit Herrn Meier.

3. wen?

Wen ruft Fräulein Heim an? Herrn Meier?

4. Heute nehme ich . . .; Dann ruft sie . . .

Ich brauche heute keinen Wagen. Heute nehme ich ein Taxi.
Sie ruft zuerst das Hotel an. Dann ruft sie die Werkstatt an.

5. jemand – niemand

Können Sie jemand zum Bahnhof schicken? –
Tut mir leid, im Moment ist niemand frei.

6. sprechen, wissen

ich spreche – er spricht   ich weiß – er weiß

1.

> Fräulein Heim telefoniert: Ich möchte einen Tisch reservieren.

a. einen Tisch reservieren **b.** einen Wagen zur Reparatur anmelden **c.** ein Ticket bestellen **d.** ein Taxi bestellen

2.

> Können Sie bitte für morgen einen Tisch reservieren? Für zwei Personen. Wir kommen um zwölf Uhr.

a. zwei Personen, 12 Uhr **b.** drei Personen, 1 Uhr **c.** vier Personen, 12 Uhr
d. fünf Personen, 2 Uhr **e.** acht Personen, 6 Uhr **f.** zwölf Personen, 7 Uhr
g. zwanzig Personen, 8 Uhr

3.

> Wir haben heute sehr viel Arbeit. Können wir den Wagen nicht morgen holen?

a. . . . den Wagen nicht morgen holen? **b.** . . . die Briefe nicht morgen schreiben? **c.** . . . die Tickets nicht morgen bestellen? **d.** . . . den Paß nicht morgen holen? **e.** . . . den Kundendienst nicht morgen machen?

4.

> Mein (sein) Wagen hat eine Panne. Ich (er) muß zu Fuß ins Büro gehen.

a. ins Büro **b.** zum Supermarkt **c.** ins Restaurant **d.** zum Rathaus **e.** ins Studio **f.** zum Marktplatz

5.

> Rufen Sie das Hotel an! – Wen möchten Sie sprechen? – Herrn Kühn.
>   (Verbinden Sie mich bitte mit Herrn Kühn!)

a. das Hotel – Herrn Kühn **b.** die Werkstatt – Herrn Meier **c.** das Büro – Fräulein Heim **d.** den Flughafen – Herrn Neumann **e.** den Supermarkt – Herrn Kaufmann **f.** das Rathaus – Herrn Schneider

6.

Ich muß nach Köln, aber mein Wagen ist kaputt. –
Dann nehmen Sie meinen Wagen.

a. Köln **b.** Stuttgart **c.** Berlin **d.** Hamburg **e.** München

7.

Ich glaube, Sie müssen den Wagen abschleppen.

a. . . . Wagen abschleppen **b.** . . . Paß holen **c.** . . . Tisch reservieren **d.** . . .
Flughafen anrufen **e.** . . . Brief sofort schreiben

8.

Rufen Sie mich morgen im Büro an!

a. morgen im Büro **b.** um zwölf im Hotel **c.** um sieben in der Werkstatt
d. heute abend im Restaurant **e.** um zehn in Frankfurt

9.

Bis wann braucht Herr Fuchs den Wagen? –
Er braucht ihn bis spätestens morgen mittag.

a. Wagen **b.** Autoschlüssel **c.** Paß **d.** Brief

10.

Ich muß Herrn Meier sprechen. Können Sie ihn anrufen?

a. Herr Meier **b.** Herr Weiß **c.** Herr Kühn **d.** Herr Baumann **e.** Herr
Fischer

11.

Ich brauche ein Taxi. – Moment, ich verbinde Sie mit der Taxizentrale.

a. . . . ein Taxi (Taxizentrale) **b.** . . . meinen Wagen (Werkstatt) **c.** . . . meinen Paß (Sekretärin) **d.** . . . meinen Wagen (Firma Neureuther)

12.

> Mein Wagen steht am Hauptbahnhof. Können Sie jemand hinschicken? –
> Tut mir leid, im Moment ist niemand frei.

a. Hauptbahnhof **b.** Flughafen **c.** Hauptpostamt **d.** Fernsehturm **e.** Rathaus **f.** Schloßplatz **g.** Marktplatz

13.

> Können Sie für morgen einen Tisch reservieren? –
> Das kann ich nicht versprechen.

a. ... für morgen einen Tisch reservieren? **b.** ... heute meinen Wagen abschleppen? **c.** ... morgen meinen Paß holen? **d.** ... um zehn Uhr den Brief schreiben? **e.** ... heute abend Ihren Autoschlüssel herbringen? **f.** ... heute nachmittag Fräulein Heim anrufen? **g.** ... sofort ein Taxi schicken? **h.** ... um zwölf mit Herrn Baumann essen? **i.** ... morgen den Kundendienst machen?

14.

> Bitte, wie komme ich zum Fernsehturm? –
> Tut mir leid, das weiß ich nicht.

a. Fernsehturm **b.** Studio **c.** Rathaus **d.** Hauptbahnhof **e.** Hauptpostamt **f.** Marktplatz **g.** Schloßplatz

15.

> Herr Fuchs fährt heute nach Stuttgart.
> Morgen fährt er nach Köln.

a. Herr Fuchs fährt heute nach Stuttgart. (morgen, nach Köln) **b.** Herr Schneider fliegt heute nach Hamburg. (morgen, nach München) **c.** Frau Berg fährt jetzt zum Marktplatz. (heute nachmittag, nach Hause) **d.** Herr Sommerfeld geht um 9 Uhr ins Studio. (um 12 Uhr, zum Essen) **e.** Fräulein Heim nimmt erst die Straßenbahn. (dann, den Bus)

Test 2

A. ein (1) eine (2) einen (3) kein (4) keine (5) keinen (6)
   a. Nein danke, ich trinke ... Apfelsaft. **b.** Ja, ich möchte ... Bier. **c.** Ich nehme ... Schnitzel. **d.** Er bestellt ... Tomatensuppe. **e.** Nein danke, ich esse ... Ananas. **f.** Ja, ich möchte ... Rotwein. **g.** Nein, wir haben ... Zigaretten mehr. **h.** Nein danke, ich esse ... Schwarzbrot.

B. fahre (1) fährt (2) halten (3) hält (4) sehen (5)
   a. Ich ... zum Hauptbahnhof. **b.** Sie ... am Marktplatz. **c.** ... Sie den Fernsehturm? **d.** Wir ... am Schloßplatz. **e.** Er ... zum Rathaus.

C. der (1) den (2) das (3) die (4)
   a. Wer ist ... Herr? **b.** Kennen Sie ... Rathaus? **c.** Kennen Sie ... Quizmaster? **d.** ... Kirche kenne ich nicht.

D. im (1) am (2) zum (3)
   a. Zwei Herren sitzen ... Restaurant. **b.** Der Bus hält ... Hauptpostamt. **c.** Wir fahren ... Fernsehturm. **d.** Die Ansagerin ist ... Studio.

E. mein (1) sein (2) Ihr (3) Ihre (4)
   a. Fräulein Heim, wo ist ... Ticket? **b.** Herr Fuchs geht zu Fuß ... Wagen ist kaputt. **c.** Herr Fuchs, wo ist ... Wagen? **d.** Herr Fuchs, haben Sie ... Ticket? **e.** Haben Sie ... Papiere, Herr Kühn?

F. braucht (1) möchte (2) kennt (3) schreibt (4)
   a. Herr Fuchs ... den Quizmaster nicht. **b.** Fräulein Heim ... einen Brief. **c.** Herr Fuchs ... ein Taxi. **d.** Herr Neumann ... ein Bier.

G. kann (1) muß (2) können (3) haben (4)
   a. ... Sie mein Ticket? **b.** ... Sie den Wagen abschleppen? **c.** ... Sie noch einmal anrufen? **d.** Fräulein Heim ... die Werkstatt anrufen. **e.** Herr Meier ... den Wagen nicht abschleppen.

H. mich (1) ihn (2) Sie (3) wen (4)
   a. Können Sie ... mit Herrn Meier verbinden? **b.** Das ist Herr Fischer. Kennen Sie ...? **c.** Haben ... mein Ticket? **d.** ... möchten Sie sprechen? **e.** Ja, rufen Sie ... im Büro an!

I. jemand (1) niemand (2) man (3)

a. Im Moment ist . . . frei. **b.** Wie kommt . . . zum Rathaus? **c.** Können Sie . . . zum Bahnhof schicken? **d.** Heute ist . . . im Büro. **e.** Kann . . . hier telefonieren?

J. der (1) den (2) die (3) das (4)

a. Kennen Sie . . . Flugkapitän? Nein, . . . kenne ich nicht. **b.** Wie heißt . . . Reporter? Tut mir leid, . . . kenne ich nicht. **c.** Kennen Sie . . . Rathaus? Nein, . . . kenne ich nicht. **d.** Kennen Sie . . . Verkäuferin? Ja, . . . kenne ich. **e.** Haben Sie . . . Ticket? Nein, . . . habe ich nicht. **f.** Wo ist . . . Brieftasche? . . . liegt im Wagen. **g.** Wohin fährt . . . Bus? . . . fährt zum Rathaus.

K. wo (1) wohin (2) hält (3) fährt (4)

a. Wo . . . der Bus? **b.** Wohin . . . die Straßenbahn? **c.** . . . hält das Taxi? **d.** . . . fährt der Bus? **e.** . . . fliegt Herr Fischer? **f.** . . . wohnt Fräulein Heim? **g.** . . . arbeitet Herr Kaufmann?

L. noch (1) mehr (2) genug (3)

a. Wir haben kein Bier . . . **b.** Brauchen Sie . . . Rotwein? **c.** Wir haben nicht . . . Zigaretten. **d.** Möchten Sie . . . einen Kaffee? **e.** Wir haben noch . . . Brot.

M. die (1) sie (2) Sie (3)

a. Woher sind . . ., Herr Zinn? **b.** . . . Zigaretten kosten zwei Mark. **c.** Wo sind die Damen? . . . sind im Studio. **d.** Wie heißen . . .? **e.** Wo sind . . . Herren?

N. fliege (1) wohnt (2) arbeiten (3)

a. . . . Sie in Köln? **b.** Herr Weiß . . . in Hamburg. **c.** Ich . . . nach Südamerika. **d.** Die Damen . . . in München. **e.** Frau Berg . . . in Berlin.

Können Sie uns mitnehmen?

An der Autobahn München–Salzburg stehen zwei Studenten und warten.
Sie wollen per Anhalter nach Österreich.

- Guten Tag! Können Sie uns mitnehmen?
- Wohin wollen Sie denn?
- Wir wollen nach Salzburg.
- Gut, steigen Sie ein. Ihr Gepäck müssen Sie auf den Rücksitz legen. Mein Kofferraum ist voll.

Rauchen Sie?
- Nein, danke. Wir sind Nichtraucher.
- Woher kommen Sie?
- Ich komme aus Hamburg. Mein Freund ist Perser. Er kommt aus Teheran. Wir studieren zusammen in Berlin.

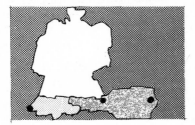

- Und jetzt wollen Sie in Österreich Urlaub machen?
- Ja. – Ich bleibe eine Woche in Salzburg. Ich will die Stadt besichtigen und ins Theater gehen.

Nächste Woche fahre ich in die Schweiz.
- Wohin?
- Nach Zürich und vielleicht nach Genf.
Ich möchte mal wieder Französisch
sprechen.

- Ihr Freund spricht wohl kein Deutsch?
- Doch, aber nur wenig. Er ist erst seit drei
  Monaten in der Bundesrepublik.
- Und wie lange bleibt er in Salzburg?
- Nur zwei Tage.

Er fährt übermorgen nach Wien weiter.
Dort trifft er seinen Bruder. Sie wollen
zusammen nach Teheran fahren.
- Per Anhalter?
- Ja, per Anhalter.
- Wie lange sind sie denn da unterwegs?
- Ungefähr vierzehn Tage.

- Sie haben es gut. Ich mache überhaupt
  keinen Urlaub.
- Warum nicht?
- Weil ich sparen muß. Ich bin verheiratet
  und habe zwei Kinder, und nächstes Jahr
  will ich ein Haus bauen.

Wir sind gleich an der Grenze. Haben
Sie Ihre Pässe?
- Ja, alles in Ordnung.
- Können Sie hier aussteigen? Ich habe es
  eilig. Ich muß um fünf Uhr in Wien sein.
- Ja, gerne. Wir haben Zeit. Wir können
  auch ein Stück zu Fuß gehen.

1. will – wollen

Ich (er/sie) will	Wir (sie, Sie) wollen

Wohin wollen Sie?   – Wir wollen nach Salzburg.
Was machen Sie in Salzburg?   – Ich will die Stadt besichtigen.
Mein Freund trifft dort seinen Bruder. Sie wollen nach Teheran.

2. sein – wir sind, sie sind

Er muß um 5 Uhr in Wien sein.
Wir sind Studenten.
Sie (die Studenten) sind vierzehn Tage unterwegs.

3. uns

Können Sie uns (mich, ihn) mitnehmen?

4. doch

Spricht er kein Deutsch? – Doch, aber nur wenig.

5. warum? – weil

Warum machen Sie keinen Urlaub? – Weil ich sparen muß.

6. treffen

ich treffe – er trifft

1.

Wohin wollen Sie? – Nach Berlin. – Steigen Sie ein!

a. Berlin **b.** Nürnberg **c.** Hamburg **d.** München **e.** Genf **f.** Wien

2.

> Ich (er) will eine Woche in Salzburg bleiben.

a. . . . eine Woche in Salzburg bleiben. **b.** . . . nächste Woche in die Schweiz fahren. **c.** . . . wieder einmal Französisch sprechen. **d.** . . . in Österreich Urlaub machen. **e.** . . . heute abend ins Theater gehen. **f.** . . . morgen die Stadt besichtigen. **g.** . . . per Anhalter nach Teheran fahren.

3.

> Wann wollen Sie nach Hamburg fliegen? –
> Ich will morgen nach Hamburg fliegen.

a. Hamburg, morgen **b.** Berlin, heute **c.** Genf, nächste Woche **d.** Köln, heute abend **e.** München, übermorgen **f.** Südamerika, nächstes Jahr

4.

> Wir wollen nach Salzburg. Können Sie uns ein Stück mitnehmen?

a. Salzburg **b.** Berlin **c.** Hamburg **d.** Wien **e.** Stuttgart **f.** Köln

5.

> Können Sie mich mitnehmen? –
> Tut mir leid, mein Wagen ist voll. Vielleicht nimmt Herr Meier Sie mit.

a. Herr Meier **b.** Frau Berg **c.** Fräulein Heim **d.** Herr Neumann **e.** Herr Kühn **f.** Herr Schneider

6.

> Das ist mein Freund. Können Sie ihn mitnehmen? –
> Tut mir leid. Ich nehme schon meinen Bruder mit.

a. mein Freund – meinen Bruder **b.** mein Bruder – meine Frau **c.** Herr Weiß – Herrn Kühn **d.** der Quizmaster – die Ansagerin

7.

> Herr Neumann fährt nach Berlin. Er trifft dort seinen Bruder (seine Frau).

a. Herr Neumann – Berlin – Bruder **b.** Herr Weiß – Hamburg – Chef **c.** Herr Kühn – München – Freund **d.** Herr Fuchs – Köln – Sekretärin **e.** Herr Schneider – Stuttgart – Frau

8.

> Nein danke, ich brauche kein Taxi. Ich gehe zu Fuß.

a. Nein danke, ich brauche . . . Taxi. Ich gehe zu Fuß. **b.** Nein danke, ich brauche . . . Wagen. Ich gehe zu Fuß. **c.** Nein danke, ich möchte . . . Zigarette. Ich bin Nichtraucher. **d.** Nein danke, ich möchte . . . Apfelsaft. Ich trinke Bier. **e.** Nein danke, ich nehme . . . Kalbsbraten. Ich esse Schnitzel.

9.

> Haben Sie Ihren Paß? – Ja, mein Paß ist im Wagen.

a. Haben Sie . . . Paß? – Ja, . . . Paß ist im Wagen. **b.** Haben Sie . . . Brieftasche? – Ja, . . . Brieftasche ist im Gepäck. **c.** Haben Sie . . . Autoschlüssel? – Ja, . . . Autoschlüssel ist im Büro. **d.** Haben Sie . . . Flugticket? – Ja, . . . Flugticket ist im Büro. **e.** Haben Sie . . . Pässe? – Ja, . . . Pässe sind im Auto.

10.

> Wann beginnt das Quiz? – Fragen Sie mal den Quizmaster!

a. Quiz – Quizmaster **b.** Besprechung – Herr Fuchs **c.** Spiel – Reporter **d.** Urlaub – Chef **e.** Arbeit – Sekretärin

11.

> Wohin wollen Sie (will er/sie)? – Nach Teheran. – Wie lange sind Sie (ist er/sie) denn da unterwegs? – Ungefähr vierzehn Tage.

a. Teheran, vierzehn Tage **b.** Wien, einen Tag **c.** Köln, fünf Stunden

12.

> Ich (er/sie) muß (wir müssen) um sieben in München sein. –
> Ja, wir sind gleich da.

a. um 7 in München **b.** um 8 an der Grenze **c.** um 11 im Hotel **d.** um 3 im Studio **e.** um 4 am Hauptbahnhof **f.** um 2 an der Autobahn

13.

> Haben Sie kein Gepäck? – Doch, das ist im Kofferraum.

a. das Gepäck – im Kofferraum **b.** der Paß – in der Brieftasche **c.** die Zigaretten – im Wagen **d.** die Brieftasche – im Hotel **e.** der Wagen – in der Werkstatt

14.

> Warum machen Sie (macht er) keinen Urlaub? – Weil ich (er) sparen muß.
> Warum machen Sie keinen Urlaub? – Weil wir sparen müssen.

a. Ich muß sparen. **b.** Ich habe keine Zeit. **c.** Ich will ein Haus bauen. **d.** Ich habe zwei Kinder. **e.** Ich muß arbeiten.

15.

> Ich habe es eilig. Können Sie hier aussteigen? –
> Ja, ich habe Zeit. Ich kann ein Stück zu Fuß gehen.

a. hier, ein Stück zu Fuß gehen **b.** am Marktplatz, zu Fuß zum Rathaus gehen **c.** am Fernsehturm, den Bus zum Flughafen nehmen **d.** am Hauptpostamt, zu Fuß zum Studio gehen **e.** an der Grenze, den Bus nach Salzburg nehmen

16.

> Wie lange wollen Sie in Salzburg bleiben? –
> Ungefähr eine Woche, dann fahre ich nach Wien weiter.

a. Salzburg, eine Woche – Wien **b.** in der Schweiz, vierzehn Tage – Österreich **c.** München, zwei Wochen – Berlin

Früher war alles anders

Herr und Frau Fuchs haben Besuch. Sie sitzen im Wohnzimmer und trinken Kaffee. Worüber sprechen sie? Natürlich über ihre Kinder.

- Sagen Sie mal, Herr Fuchs, was machen Ihre Kinder eigentlich den ganzen Tag?
- Ja, was machen die eigentlich? Das weiß ich nicht. Meine Söhne sind nie zu Hause, und meine Tochter habe ich auch schon lange nicht mehr gesehen.

- Helmut, das stimmt nicht. Nachmittags sind sie immer hier.
- So? Na ja, dann sitzen sie im Hobbyraum und hören Beat oder sehen fern. Sie lesen kein Buch, treiben keinen Sport und lernen kein Instrument. Machen sie wenigstens ihre Hausaufgaben?

- Aber Helmut, ist Gitarre kein Instrument? Unsere Jungen spielen sehr gut Gitarre, wissen Sie, und in der Schule sind sie nicht schlecht. Und Sport treiben sie auch. Monika spielt Tennis, und die Jungen spielen Fußball, und im Winter fahren sie Ski.

• Schön. Und im Sommer sind sie per Anhalter durch ganz Europa gereist. Nächstes Jahr will Thomas nach Griechenland. Er hat jetzt ein Motorrad. Ich war noch nie in Griechenland! Wir sind früher jeden Sonntag gewandert, das war alles.

• Ja, weil wir kein Motorrad hatten.
• Aber das war auch nicht schlecht. Ich habe früher jeden Tag Klavier gespielt. Wir sind ins Theater gegangen und ins Konzert. Und ich habe viel gelesen, Schiller, Goethe und Tolstoi. Was lesen unsere Kinder? Comics.

• Stimmt, unsere auch. Übrigens, haben Sie noch Zeit zum Lesen, Herr Fuchs?
• Natürlich nicht. Ich muß jeden Tag zehn Stunden arbeiten, weil meine Kinder Geld brauchen. Abends bin ich müde, dann lese ich nur noch die Zeitung und gehe um zehn ins Bett.

• Wir haben früher auch viel Musik gemacht. Mein Vater hat Geige gespielt, und meine Mutter hat gesungen. Aber unsere Söhne interessieren sich nur für Mädchen. Und natürlich gehen sie jede Woche ins Kino.

• Oh ja, das machen unsere auch.
• Übrigens, heute gibt es einen Krimi im Fernsehen. Wollen wir uns den ansehen?
• Ja gern. Habeń Sie den gestern gesehen?
• Ja sicher. Wir sehen uns jeden Krimi an.
• Dann mache ich schnell das Abendessen.

61

1. hatte – hatten

Ich (er/sie)   hatte   kein Auto.
Wir (sie, Sie) hatten kein Motorrad.

2. war – waren

Ich (er/sie)   war   noch nie in Griechenland.
Wir (sie, Sie) waren noch nie in Südamerika.

3. ich habe gelesen, ich bin gewandert

Ich   habe Klavier gespielt/viel gelesen.
Er/sie   hat
Wir (sie, Sie) haben

Ich   bin oft gewandert/ins Theater gegangen.
Er/sie   ist
Wir (sie, Sie) sind

4. sich

Sie interessieren sich für Mädchen.   Wir interessieren uns für Bücher.
Sie sehen sich das Quiz an.   Wir sehen uns den Krimi an.

5. worüber? – über, wofür? – für

Worüber sprechen sie?   – Über ihre Kinder.
Wofür interessieren Sie sich? – Ich interessiere mich für den Sport.

6. lesen

Ich lese die Zeitung. – Er liest ein Buch.

7.

arbeiten	– er hat gearbeitet	fernsehen	– er hat ferngesehen
hören	– gehört	ansehen	– angesehen
lernen	– gelernt		
machen	– gemacht		
sparen	– gespart	reisen	– er ist gereist
spielen	– gespielt	wandern	– gewandert
lesen	– gelesen	bleiben	– geblieben
sehen	– gesehen	fahren	– gefahren
singen	– gesungen	fliegen	– geflogen
treffen	– getroffen	gehen	– gegangen
(Sport) treiben	– getrieben		

1.

> Hatten Sie früher einen (keinen) Fernseher? –
> Nein, wir hatten (ich hatte) keinen Fernseher.
> Doch, ich hatte (wir hatten) einen Fernseher.

a. Fernseher **b.** Motorrad **c.** Gitarre **d.** Klavier **e.** Auto **f.** Wagen **g.** Haus
h. Sekretärin

2.

> Frau Berg, wo waren Sie heute morgen? – Ich war im Supermarkt.

a. Frau Berg – heute morgen – im Supermarkt **b.** Herr Sommerfeld – gestern abend – im Studio **c.** Fräulein Heim – heute mittag – im Hotel Vier Jahreszeiten **d.** Herr Fuchs – im Sommer – in Griechenland **e.** Herr Weiß – im Winter – in Österreich

3.

> Was haben Sie gestern abend gemacht? – Wir waren im Konzert.

a. im Konzert **b.** im Theater **c.** im Studio **d.** im Hotel Vier Jahreszeiten **e.** in Salzburg **f.** im Büro **g.** im Kino

4.

> Was macht Thomas?   – Er sieht fern.
> Was machen die Kinder? – Sie sehen fern.

a. fernsehen **b.** Krimis lesen **c.** Beat hören **d.** Sport treiben **e.** Gitarre spielen **f.** Ski fahren **g.** Klavier spielen **h.** nach Wien fahren **i.** Fußball spielen **j.** Hausaufgaben machen

5.

> Haben Sie früher viel gelesen? –
> Nein, ich habe (wir haben) Musik gemacht.

a. früher viel gelesen – Musik gemacht **b.** früher viel gespart – oft Urlaub gemacht **c.** heute Klavier gespielt – Hausaufgaben gemacht **d.** gestern Musik gemacht – ferngesehen **e.** heute gearbeitet – Tennis gespielt **f.** gestern abend Gitarre gespielt – Beat gehört **g.** heute nachmittag gelernt – Fußball gespielt **h.** früher Sport getrieben – viel gearbeitet

6.

> Ist Herr Fuchs (sind Sie) heute nachmittag zu Hause? –
> Nein, nachmittags ist er (bin ich) immer im Büro.

a. Herr Fuchs, heute nachmittag **b.** Herr Sommerfeld, morgen abend **c.** Fräulein Schaumann, heute abend **d.** Frau Berg, heute morgen **e.** Herr Meier, heute nachmittag **f.** Herr Kühn, heute mittag

7.

> Sind Sie früher viel gewandert? – Oh ja, ich bin viel gewandert.
> Sind sie früher viel gewandert? – Oh ja, sie sind viel gewandert.
> Ist er früher viel gewandert?   – Oh ja, er ist viel gewandert.

a. früher viel gewandert **b.** früher oft ins Theater gegangen **c.** früher viel gereist **d.** früher oft ins Konzert gegangen **e.** im Winter oft Ski gefahren **f.** früher viel zu Fuß gegangen **g.** im Sommer oft nach Salzburg gefahren **h.** früher oft nach Hamburg geflogen **i.** früher oft zu Hause geblieben

8.

> Können Sie Auto fahren? – Nein, aber ich will es lernen.

a. Auto fahren **b.** Ski fahren **c.** Geige spielen **d.** Motorrad fahren **e.** Klavier spielen **f.** Gitarre spielen **g.** Deutsch **h.** Französisch

9.

> Gestern bin ich (ist er/sie) nach Berlin geflogen.
> Dort habe ich (hat er/sie) meinen (seinen/ihren) Freund getroffen.
> Gestern sind wir (sind sie) nach Berlin geflogen.
> Dort haben wir (haben sie) unseren (ihren) Freund getroffen.

a. Berlin – Freund **b.** Wien – Bruder **c.** Köln – Vater **d.** München – Lehrer

10.

> Worüber sprechen Herr Fuchs und Herr Neumann? –
> Natürlich über ihre Kinder.

a. Kinder **b.** Autos **c.** Söhne **d.** Frauen **e.** Sekretärinnen **f.** Büros

11.

> Herr Kühn, wofür interessieren Sie sich? –
> Ich interessiere mich für Autos.
> (Wofür interessiert sich Herr Kühn? –
> Er interessiert sich für Autos.)

a. Herr Kühn – Autos **b.** Herr Weiß – Beatmusik **c.** Herr Sommerfeld – Mädchen **d.** Frau Berg – das Theater **e.** Frau Kaufmann – den Sport **f.** Fräulein Fuchs – die Musik

12.

> Kennen Sie den Krimi? – Nein, den sehen wir uns morgen an.
>   Ja, den haben wir uns schon angesehen.

a. der Krimi **b.** die Kirche **c.** das Theater **d.** die Stadt **e.** der Fernsehturm **f.** das Rathaus **g.** der Schloßplatz

Wann kommen sie denn endlich?

Martina und Klaus haben Brigitte und Werner zum Abendessen eingeladen.
Martina hat belegte Brote und ein paar Salate gemacht.

- Bist du fertig? Es ist gleich acht Uhr.
- Haben wir nichts vergessen?
  Hast du den Wein auf den Balkon gestellt
  und das Bier in den Kühlschrank gelegt?
  Stehen die Biergläser auf dem Tisch?

- Einen Augenblick. Der Wein steht auf
  dem Balkon, und das Bier liegt im Kühlschrank. Aber wo sind die Biergläser?
- In der Küche. Ich habe sie gerade gespült. Hol doch bitte die Zigaretten. Die
  liegen noch im Flur auf dem Hocker.

- So, jetzt können sie kommen.
- Hast du Feuer? – Danke. – Leg schon
  eine Platte auf. Ich komme gleich.
- Bleib doch hier! Du hast ja den ganzen
  Tag in der Küche gearbeitet. Möchtest
  du einen Aperitif?

- Wie spät ist es jetzt? Schon fast neun?
- Ja. Sag mal, für wann hast du sie eigentlich eingeladen?
- Für heute, Sonntag, acht Uhr.
- Das verstehe ich nicht. Vielleicht haben sie die Einladung vergessen.

- Unmöglich. Ich habe Brigitte gestern abend noch angerufen. Ich freue mich schon auf morgen, hat sie gesagt.
- Wie lange wollen wir denn noch warten?
- Na ja, vielleicht bis Viertel nach neun.
- Vielleicht haben sie Pech mit dem Auto.

- Ich habe Hunger. Ich hole jetzt das Abendessen aus der Küche.
  Willst du nicht mal anrufen?
- Ja, mache ich.
  Niemand da. Sie sind nicht zu Hause.
- Na schön. Fangen wir an!

1. du

Holst du die Gläser? Willst du anrufen?
Hast du Gäste?   Kannst du jetzt anrufen?
Bist du fertig?   Möchtest du einen Aperitif?

2. Hol ...! Bring ...! Leg ...! Bleib ...!

Hol bitte die Zigaretten!   Leg bitte eine Platte auf!
Bring bitte die Zigaretten! Bleib bitte hier!

3. wohin?   **wo?**   **woher?**

in den Kühlschrank   im   Kühlschrank   aus dem Kühlschrank
ins   Wohnzimmer   im   Wohnzimmer   aus dem Wohnzimmer
in die Küche   in der Küche   aus der Küche

auf den Balkon   auf dem Balkon
auf die Straße   auf der Straße

4. stellen – stehen, legen – liegen

Er legt das Bier in den Kühlschrank.   Das Bier liegt im Kühlschrank.
Er stellt den Wein auf den Balkon.   Der Wein steht auf dem Balkon.

5. sich freuen

Ich freue mich auf morgen.   Wir freuen uns auf das Bier.
Freust du dich auf den Urlaub?   Sie (die Gäste) freuen sich auf Genf.
Er/sie freut sich auf Genf.   Freuen Sie sich auf das Konzert?

6.

anfangen – er hat angefangen   auflegen – er hat aufgelegt
anrufen –   angerufen   bestellen –   bestellt
einladen –   eingeladen   vergessen –   vergessen

1.

> Wir haben Brigitte und Werner zum Abendessen eingeladen.

a. Brigitte und Werner (zum Abendessen) **b.** Herrn und Frau Neumann (zum Kaffee) **c.** unsere Freunde (zum Mittagessen) **d.** die Studenten (zum Wein) **e.** unsere Sekretärinnen (zum Abendessen) **f.** Herrn Weiß (zum Fernsehen)

2.

> Möchtest du jetzt einen Kaffee? – Nein, danke, jetzt noch nicht.

a. Kaffee **b.** Bier **c.** Zigarette **d.** Aperitif **e.** Apfelsaft **f.** Ananas

3.

> Willst du jetzt essen? – Nein, ich muß erst einen Brief schreiben.

a. essen – einen Brief schreiben **b.** fernsehen – Brigitte anrufen **c.** die Zeitung lesen – die Gläser spülen **d.** nach Hause fahren – den Wagen holen **e.** das Quiz ansehen – die Salate machen

4.

> Hast du den Wagen schon geholt? – Nein, den muß ich noch holen.
> Ja, den habe ich gerade geholt.

a. den Wagen holen **b.** den Wein holen **c.** den Ober fragen **d.** die Gläser spülen **e.** die Brote machen **f.** die Getränke bestellen **g.** die Salate machen **h.** die Platte auflegen **i.** das Buch lesen **j.** Peter anrufen

5.

> Kannst du den Wein holen? –
> Den habe ich schon geholt. Er steht auf dem Balkon.

a. Wein (Balkon) **b.** Apfelsaft (auf dem Tisch) **c.** Aperitif (auf dem Hocker) **d.** Rotwein (im Kühlschrank) **e.** Käse (auf dem Tisch) **f.** Hocker (im Flur)

6.

> Holst du die Gläser aus der Küche? –
> Die sind nicht in der Küche, die sind im Wohnzimmer.

a. Gläser, Küche, Wohnzimmer **b.** Rotwein, Küche, Wohnzimmer **c.** Bier, Küche, Wohnzimmer **d.** Wagen, Werkstatt, am Hauptbahnhof

7.

> Bist du morgen im Büro? – Nein, ich fliege nach Köln.

a. morgen im Büro – nach Köln fliegen **b.** heute abend zu Hause – ins Kino gehen **c.** heute nachmittag im Studio – in die Stadt fahren **d.** heute abend im Hotel – ins Theater gehen

8.

> Wo sind denn die Biergläser? – Die stehen auf dem Tisch.
> Wo ist denn das Buch?   – Das liegt auf dem Tisch.

a. Gläser (Tisch) **b.** Buch (Tisch) **c.** Zigaretten (Hocker) **d.** Paß (Tisch) **e.** Apfelsaft (Kühlschrank) **f.** Wein (Balkon)

9.

> Bitte, hol das Gepäck! Es liegt im Kofferraum.

a. Gepäck (im Kofferraum) **b.** Bier (im Kühlschrank) **c.** Weißbrot (auf dem Tisch) **d.** Schwarzbrot (in der Küche) **e.** Buch (im Wohnzimmer)

10.

> Bitte, bring das Buch ins Wohnzimmer!
> Bitte, hol das Buch aus dem Wohnzimmer!

a. Buch (Wohnzimmer) **b.** Brief (Büro) **c.** Papiere (Hotel) **d.** Ticket (Büro) **e.** Paß (Auto)

11.

> Bitte, leg den Wein in den Kühlschrank!
> Bitte, hol den Wein aus dem Kühlschrank!

a. Wein (Kühlschrank) **b.** Buch (Hobbyraum) **c.** Paß (Wagen) **d.** Papiere (Bus) **e.** Käse (Kühlschrank)

12.

> Hast du den Wein auf den Tisch gestellt? – Ja, der steht auf dem Tisch.

a. Wein **b.** Salat **c.** Käse **d.** Apfelsaft **e.** Kaffee **f.** Aperitif

13.

> Brigitte hat gesagt: Ich freue mich schon auf morgen.
> Brigitte hat gesagt, sie freut sich auf morgen. – Freust du dich auch?

a. Brigitte (morgen) **b.** Hans (das Konzert) **c.** Herr Neumann (den Krimi) **d.** Michael (das Abendessen) **e.** Herr Kühn (den Urlaub) **f.** Frau Fuchs (das Buch) **g.** Eva (die Einladung) **h.** Herr Schneider (die Tomatensuppe)

14.

> Nächste Woche machen wir Urlaub. Wir freuen uns schon auf Salzburg.
> Nächste Woche machen sie Urlaub. Sie freuen sich schon auf Salzburg.

a. Salzburg **b.** die Schweiz **c.** Köln **d.** Südamerika **e.** die Bundesrepublik

15.

> Warum hat er das Buch nicht geschickt? –
> Vielleicht hat er es vergessen.

a. Warum hat er das Buch nicht geschickt? **b.** Warum hat sie die Gläser nicht gespült? **c.** Warum hat sie das Ticket nicht bestellt? **d.** Warum hat er nicht angerufen? **e.** Warum hat er sie nicht eingeladen?

Tut uns schrecklich leid!

Um elf Uhr klingelt das Telefon. Klaus liegt auf der Couch und schläft. Er hat sieben Brote gegessen und drei Flaschen Bier getrunken.

• Hallo, Brigitte, wo seid ihr denn? Wir haben den ganzen Abend auf euch gewartet. Um halb zehn haben wir angerufen, aber es hat sich niemand gemeldet. Und da haben wir gedacht, ihr kommt nicht mehr, und haben gegessen.

• Das tut uns schrecklich leid, Martina. Ihr müßt entschuldigen, aber wir konnten leider nicht kommen. Meine Eltern sind nämlich heute morgen gekommen. Sie wollten mit uns einen Ausflug an den Tegernsee machen.

Wir mußten natürlich mitfahren. Um fünf Uhr nach dem Kaffeetrinken wollten wir zurückfahren. Und dann hatten wir einen Unfall.

• Ist euch was passiert?

• Nein, gar nichts. Nur der Wagen ist kaputt. Wir sind ganz langsam gefahren. Der Wagen vor uns hat plötzlich gehalten, und mein Vater ist draufgefahren.
Werner hat sich geärgert. Er wollte nämlich selbst fahren.

• Haben deine Eltern jetzt euren Wagen?
• Nein, wir haben sie zum Bahnhof gebracht. Sie sind mit dem Zug nach Hause gefahren. Und jetzt ist es schon elf. –
• Das macht nichts. Kommt doch noch!

Klaus, du mußt aufstehen. Unsere Gäste kommen.
• Was, jetzt noch? Ich muß morgen arbeiten! Haben wir denn noch genug zu essen?
• Die haben sicher schon gegessen. Sie wollen nur noch ein Glas Wein trinken.
• Na schön, ich hole ein paar Flaschen.

Klaus hat am nächsten Morgen verschlafen. Brigitte hat ihren Zug verpaßt, und Werner konnte nicht ins Büro gehen, weil er Kopfschmerzen hatte.

1. wollte, konnte, mußte

ich (er/sie)	wollte	konnte	mußte
du	wolltest	konntest	mußtest
wir (sie, Sie)	wollten	konnten	mußten
ihr	wolltet	konntet	mußtet

2. ich bin – wir sind

Ich	bin zu Hause.	Wir sind im Büro.	
Du	bist in Köln.	Ihr seid im Urlaub.	
Er/sie ist	in München.	Sie sind im Studio.	Sind Sie zu Hause?

3. ihr

Kommt ihr noch? Müßt ihr noch arbeiten? Könnt ihr jetzt kommen?

4. dein/deine – deinen, euer/eure – euren

Dein (euer) Wagen ist kaputt.	Deine (eure) Mutter kommt.	
Dein (euer) Telefon klingelt.	Deine (eure) Eltern kommen.	

Sie haben deinen (euren) Wagen.
Sie bringen dein (euer) Auto.
Sie treffen deine (eure) Mutter.

5. euch

Wir haben auf euch (ihn, sie, Sie) gewartet.

6.

bringen – er hat gebracht	verpassen – er hat verpaßt
denken – gedacht	schlafen – geschlafen
essen – gegessen	verschlafen – verschlafen
halten – gehalten	kommen – er ist gekommen
trinken – getrunken	passieren – es ist passiert

1.

| Ich konnte leider nicht kommen. Du hast dich doch nicht geärgert? |

a. du dich **b.** er sich **c.** sie sich **d.** ihr euch **e.** Sie sich

2.

| Peter konnte nicht kommen, weil er einen Unfall hatte. |

a. Peter **b.** ich **c.** Brigitte **d.** Hans und Eva **e.** wir

3.

| Ich habe den ganzen Abend auf dich gewartet. Konntest du nicht anrufen? |

a. ich (du) **b.** sie (er) **c.** wir (du) **d.** wir (ihr) **e.** ich (Sie)

4.

| Warum konntest du nicht kommen? – Weil ich in Frankfurt war. |

a. du (ich) **b.** er (er) **c.** sie (sie) **d.** ihr (wir) **e.** Sie (ich)

5.

| Ich wollte dich anrufen, aber es hat sich niemand gemeldet. |

a. ich (dich) **b.** ich (ihn) **c.** ich (sie) **d.** ich (euch) **e.** wir (dich) **f.** wir (ihn)
g. wir (sie) **h.** wir (euch) **i.** er/sie (dich) **j.** er (ihn/sie) **k.** er (euch) **l.** sie
(dich) **m.** sie (ihn/sie) **n.** sie (uns) **o.** sie (euch)

6.

| Wir haben zwei Stunden auf euch gewartet. Jetzt haben wir schon gegessen. |

a. auf euch **b.** auf ihn **c.** auf sie **d.** auf Sie

7.

> Mein Vater wollte einen Ausflug machen. Ich mußte mitfahren.

a. mein Vater (ich) **b.** meine Eltern (wir) **c.** sein Bruder (er) **d.** ihr Freund (sie) **e.** ihr Chef (sie) **f.** seine Eltern (er)

8.

> Du wolltest doch Urlaub machen? – Ja, aber ich mußte arbeiten.
> Ihr wolltet doch Urlaub machen? – Ja, aber wir mußten arbeiten.

a. Urlaub machen – arbeiten **b.** einen Ausflug machen – Briefe schreiben **c.** Tennis spielen – Herrn Kühn holen **d.** ein Auto kaufen – sparen **e.** in Salzburg bleiben – nach München zurückfahren

9.

> Warum mußtest du nach Berlin fliegen? –
> Weil ich eine Besprechung hatte.
> Warum mußtet ihr nach Berlin fliegen? –
> Weil wir eine Besprechung hatten.

a. nach Berlin fliegen – eine Besprechung **b.** zu Hause bleiben – Gäste **c.** mit dem Zug zurückfahren – eine Panne **d.** mit dem Taxi fahren – keinen Wagen **e.** am Flughafen warten – kein Ticket

10.

> Wohnt dein (euer) Bruder in Köln? – Nein, er wohnt in Hamburg.
> Wohnt deine (eure) Mutter in Köln? – Nein, sie wohnt in Hamburg.
> Wohnen deine (eure) Eltern in Köln? – Nein, sie wohnen in Hamburg.

a. Wohnt dein Bruder in Köln? (Hamburg) **b.** Warten deine Gäste im Hotel? (Restaurant) **c.** Steht dein Auto am Flughafen? (Hauptbahnhof) **d.** Fährt deine Mutter nach Wien? (Salzburg) **e.** Studieren deine Söhne in München? (Berlin) **f.** Spielt deine Freundin Geige (Klavier)? **g.** Wohnen deine Freunde in Nürnberg? (Augsburg) **h.** Gehen deine Eltern ins Theater? (Konzert)

11.

> Hast du meinen Paß (meine Uhr, meine Briefe) gesehen? –
> Nein, ich habe deinen Paß (deine Uhr, deine Briefe) nicht gesehen.

a. Paß **b.** Bruder **c.** Freundin **d.** Brieftasche **e.** Briefe **f.** Gäste

12.

> Habt ihr euren Zug verpaßt?   – Ja, wir haben verschlafen.
> Habt ihr euren Freund eingeladen? – Nein, er ist nach Genf gefahren.

a. Zug verpassen (Ja – verschlafen) **b.** Freund einladen (Nein – nach Genf fahren) **c.** Bruder treffen (Nein – in Wien) **d.** Vater anrufen (Nein – im Ausland) **e.** Freund zum Flughafen bringen (Nein – mit dem Zug fahren)

13.

> Wo seid ihr   denn jetzt? – Wir   sind noch zu Hause.
> Wo bist du   denn jetzt? – Ich   bin noch zu Hause.
> Wo ist er (sie) denn jetzt? – Er (sie) ist   noch zu Hause.
> Wo sind sie   denn jetzt? – Sie   sind noch zu Hause.

a. Restaurant (ihr – wir) **b.** am Flughafen (du – ich) **c.** im Büro (er – er) **d.** im Wohnzimmer (sie – sie) **e.** am Bahnhof (ihr – wir) **f.** im Studio (sie – sie) **g.** am Marktplatz (du – ich) **h.** im Theater (ihr – wir)

14.

> Könnt ihr uns holen? Wir sind jetzt am Flughafen.

a. könnt ihr – wir **b.** kannst du – ich **c.** kann er – er **d.** könnt ihr – sie (die Gäste) **e.** kann sie – wir

15.

> Ihr müßt entschuldigen, aber ich konnte nicht kommen.
> Sie müssen entschuldigen, aber wir konnten nicht kommen.

a. ihr (ich) **b.** du (ich) **c.** Sie (ich) **d.** ihr (er) **e.** du (sie) **f.** Sie (er) **g.** Sie (sie) **h.** Sie (wir)

16.

Wann kommt ihr? – Wir kommen erst um zehn.
Wann seid ihr gekommen? – Wir sind erst um zehn gekommen.

a. Wann kommt ihr? (erst um zehn) **b.** Wie lange bleibt ihr? (nur eine Woche) **c.** Wo eßt ihr heute? (im Restaurant) **d.** Wohin gehst du? (ins Kino) **e.** Was trinkt er? (ein Bier) **f.** Wo schläfst du? (auf der Couch)

Test 3

A. konnten (1) wollten (2) mußten (3)
   a. Wir . . . nicht kommen, weil wir noch arbeiten . . . **b.** Wir . . . euch anrufen, aber es hat sich niemand gemeldet. **c.** Wir . . . nichts machen, wir . . . mitfahren. **d.** Wir . . . ins Theater, aber wir haben den Zug verpaßt.

B. hatten (1) waren (2) sind (3)
   a. Früher . . . wir oft ins Theater gegangen. **b.** Wir . . . früher kein Auto. **c.** Herr und Frau Fuchs . . . noch nie in Griechenland. **d.** . . . Sie schon einmal in Hamburg? **e.** Die Kinder . . . gestern im Kino. **f.** Meine Söhne . . . heute nicht zu Hause.

C. dein (1) deine (2) deinen (3)
   a. Wo ist . . . Mutter? **b.** Wo steht . . . Wagen? **c.** Hast du . . . Paß? **d.** Was macht . . . Sohn? **e.** Was macht . . . Tochter? **f.** Ich kenne . . . Vater nicht.

D. in den (1) aus dem (2) im (3) in die (4)
   a. Das Bier ist . . . Kühlschrank. **b.** Bring das Essen . . . Küche! **c.** Hol die Zigaretten . . . Wohnzimmer! **d.** Leg den Wein . . . Kühlschrank! **e.** Der Fernseher steht . . . Wohnzimmer.

E. bin (1) sind (2) ist (3) hat (4) habe (5)
   a. Ich . . . oft gewandert. **b.** Er . . . Klavier gespielt. **c.** Brigitte . . . nach Köln gefahren. **d.** Wir . . . ins Theater gegangen. **e.** . . . Sie nach Wien gefahren? **f.** Ich . . . oft Gitarre gespielt.

.F. stellen (1) steht (2) legen (3) liegen (4) liegt (5)
a. Wohin . . . wir den Tisch? **b.** Der Wein . . . auf dem Balkon. **c.** Das Buch . . . im Wohnzimmer. **d.** Die Zigaretten . . . im Flur. **e.** . . . Sie den Paß in meinen Wagen!

G. holst (1) holt (2) hast (3) kannst (4)
a. . . . du das Abendessen? **b.** . . . du Hans angerufen? **c.** Er . . . seinen Wagen. **d.** . . . du heute abend kommen?

H. gelesen (1) gespielt (2) gemacht (3)
a. Haben die Kinder ihre Hausaufgaben . . .? **b.** Den Krimi habe ich schon . . . **c.** Hat er heute schon Klavier . . .? **d.** Gestern abend habe ich Zeitung . . .

I. hol (1) bring (2) leg (3) bleib (4)
a. . . . bitte die Zigaretten aus dem Wohnzimmer! **b.** . . . den Wein in den Kühlschrank! **c.** . . . doch hier! **d.** . . . das Bier in die Küche!

J. Ich freue mich auf (1) auf den (2) auf die (3) auf das (4)
a. . . . Urlaub **b.** . . . morgen **c.** . . . Fußballspiel **d.** . . . Einladung **e.** . . . Sport **f.** . . . Theater **g.** . . . heute abend •

K. sich (1) ihn (2) ihre (3)
a. Wir haben . . . angerufen. **b.** Können Sie . . . mitnehmen? **c.** Interessiert er . . . für Fußball? **d.** Sie sprechen über . . . Kinder.

L. sind (1) seid (2)
a. Wo . . . ihr jetzt? **b.** . . . ihr heute abend zu Hause? **c.** . . . die Kinder heute in der Schule? **d.** . . . ihr heute nachmittag im Büro? **e.** . . . deine Eltern schon gekommen?

M. gebracht (1) verpaßt (2) gedacht (3)
a. Meine Eltern haben den Zug . . . **b.** Ich habe sie zum Bahnhof . . . **c.** Ich habe . . ., der kommt nicht mehr. **d.** Haben Sie schon einmal ein Flugzeug . . .?

N. wann (1) wie lange (2) schon (3)
a. Für . . . hast du sie eingeladen? **b.** Ist es . . . neun Uhr? **c.** . . . wartest du schon? **d.** Hat er . . . angerufen? **e.** . . . wollen wir denn essen?

Und wo schlafe ich?

Am Sonntagmorgen klingelt bei Kaufmanns das Telefon. Hans ist im Bad.
Eva geht ins Wohnzimmer und hebt den Hörer ab.

- Hans, wir bekommen heute Besuch.
  Meine Freundin Claudia kommt mit ih-
  rem Mann, du weißt schon, die aus Düs-
  seldorf. Die beiden kommen aus Italien.
  Ich habe sie zum Kaffee eingeladen.
- Was, heute? Das geht nicht!

- Warum geht das nicht?
- Ich will mit Peter zum Fußball. Sag deiner Freundin, es tut mir leid, und ich
  wünsche ihnen eine gute Reise.
- Das kannst du ihnen selbst sagen. Heute
  abend, beim Abendessen.

- Was? Wie lange bleiben die denn? Über-
  nachten die bei uns?
- Natürlich. Claudia ist sehr nett. Ihren
  Mann kenne ich ja auch nicht, das heißt,
  ich habe ihn nur einmal kurz gesehen.
  Und sie möchten dich gern kennenlernen.

- Und wo wollen die hier schlafen?
- Ganz einfach. Claudia und ich schlafen in unserem Schlafzimmer, und Bernd schläft hier im Wohnzimmer auf der Liege.
- Aha, der Besuch schläft in meinem Bett. Und ich? Auf dem Küchentisch, oder wo?

- Nein, auch hier im Wohnzimmer. Wir stellen den Tisch in die Ecke, holen die Luftmatratze aus dem Keller und legen sie auf den Teppich. Du hast doch immer gesagt, du schläfst auf der Luftmatratze so gut.

- Im Zelt, aber doch nicht in der Wohnung. – Na, meinetwegen. Wann kommen sie denn?
- Um drei.
  Pünktlich um drei klingelt es an der Tür.
- Guten Tag, Eva, guten Tag, Hans!
- Tag, Claudia, guten Tag, Herr Meier.

- Guten Tag, Frau Kaufmann, Tag, Herr Kaufmann. Hoffentlich stören wir nicht!
- Ganz im Gegenteil, wir freuen uns.
- Ich wollte eigentlich gar nicht kommen. Es ist ja Sonntag, und vielleicht wollten Sie ausgehen.

- Oh nein, wir sind sonntags immer zu Hause.
- Tatsächlich? Ich nicht. Ich gehe meistens zum Fußball.
- Was, Sie auch? Heute spielt Bayern München gegen Schalke 04. Gehen Sie mit?
- Na klar.

81

1. mich, dich, ihn, sie ...

Er möchte mich (dich, ihn, sie, uns, euch, sie, Sie) kennenlernen.

2. mit meinem/meiner, deinem/deiner ...

Ich komme mit meinem Bruder.   Ich komme mit meiner Tochter.
Du kommst mit deinem Sohn.   Du kommst mit deiner Mutter.
Er kommt mit seinem Sohn.   Er kommt mit seiner Frau.
Sie kommt mit ihrem Mann.   Sie kommt mit ihrer Freundin.
Wir kommen mit unserem Sohn.   Wir kommen mit unserer Tochter.
Ihr kommt mit eurem Sohn.   Ihr kommt mit eurer Tochter.

Kommen Sie mit Ihrem Mann?   Kommen Sie mit Ihrer Frau?

3. uns, euch, ihnen

Sie wünschen uns (euch) einen guten Flug.
Wir wünschen ihnen (Ihnen) einen guten Flug.

4. bei uns, euch, ihnen

Bleibt er heute bei uns (euch, ihnen, Ihnen)?

5.

Montag   – montags   Freitag – freitags
Dienstag   – dienstags   Samstag – samstags
Mittwoch   – mittwochs   Sonntag – sonntags
Donnerstag – donnerstags

6.

sprechen   – er hat gesprochen   telefonieren – er hat telefoniert
übernachten –   übernachtet

1.

> Ich brauche kein Taxi. Peter kann mich mit dem Wagen holen.

a. ich (Peter) **b.** du (mein Mann) **c.** Herr Fuchs (ich) **d.** wir (meine Eltern) **e.** ihr (Hans) **f.** Kaufmanns (wir) **g.** Karin (ich) **h.** Michael (du)

2.

> Kaufmanns haben für heute abend Gäste eingeladen. Ich komme mit meinem Mann (er mit seinem Bruder, sie mit ihrem Freund).

a. ich (Mann) **b.** Herr Fuchs (Sohn) **c.** Fräulein Schaumann (Chef) **d.** Herr Weiß (Bruder) **e.** Karin (Freund) **f.** er (Vater) **g.** sie (Mann)

3.

> Wer kommt heute abend? –
> Ich komme (er/sie kommt) mit meiner (seiner, ihrer) Freundin.

a. ich (Freundin) **b.** Herr Fuchs (Frau) **c.** Monika (Mutter) **d.** Herr Sommerfeld (Sekretärin) **e.** Frau Berg (Tochter) **f.** ich (Frau)

4.

> Dein Telefon war kaputt, aber ich habe mit deinem Vater (deiner Mutter) gesprochen.
> Ich habe mit deinem Vater gesprochen, weil dein Telefon kaputt war.

a. Vater **b.** Mutter **c.** Bruder **d.** Sekretärin **e.** Chef **f.** Sohn

5.

> Tut mir leid, Herr Fuchs. Wir bekommen morgen Besuch. –
> Ich weiß, ich habe schon mit Ihrem Sohn (Ihrer Tochter) telefoniert.

a. Sohn **b.** Tochter **c.** Vater **d.** Sekretärin **e.** Bruder **f.** Frau

6.

> Am Sonntag sind wir in unserem Haus (unserer Wohnung) am Tegernsee.
> Kommt doch mit eurem Sohn (eurer Tochter) zum Kaffeetrinken!

a. Haus (Sohn) **b.** Wohnung (Tochter) **c.** Haus (Mutter) **d.** Hotel (Bruder)
e. Wohnung (Vater)

7.

> Wo schläft der Besuch? –
> In meinem Bett.

a. Wo schläft der Besuch? (mein Bett) **b.** Wo ist das Telefon? (mein Büro)
c. Wo liegt meine Brieftasche? (Ihr Wagen) **d.** Wo schlafen eure Gäste?
(unsere Wohnung) **e.** Wo steht die Liege? (unser Wohnzimmer) **f.** Wo ist
Ihr Paß? (meine Brieftasche) **g.** Wo ist Herr Fuchs? (sein Hotel) **h.** Wo
schläft Hans? (sein Zelt)

8.

> Seid ihr am Sonntag zu Hause? –
> Nein, sonntags machen wir immer einen Ausflug.

a. am Sonntag (einen Ausflug machen) **b.** am Montag (Fußball spielen)
c. am Dienstag (in die Stadt fahren) **d.** am Mittwoch (ins Theater gehen)
e. am Donnerstag (nach Augsburg fahren) **f.** am Freitag (im Studio arbeiten) **g.** am Samstag (Tennis spielen)

9.

> Deine Eltern haben gefragt, wann du kommst. –
> Sag ihnen, ich komme nächste Woche.

a. Deine Eltern haben gefragt, wann du kommst. (nächste Woche) **b.** Deine
Freunde haben gefragt, wann du sie anrufst. (heute abend) **c.** Die Kinder
haben gefragt, wann wir Urlaub machen. (im Winter) **d.** Herr und Frau
Neumann haben gefragt, wann du ankommst. (um zwölf Uhr)

10.

> Wir wünschen euch (sie wünschen uns) einen guten Flug.

a. wir wünschen (einen guten Flug) **b.** sie wünschen (eine gute Reise) **c.** ich bringe (einen Kaffee) **d.** wir bringen (einen Aperitif) **e.** sie wünschen (einen guten Flug)

11.

> Wo ist Herr Weiß? –
> Er hat bei uns übernachtet und ist dann nach Wien weitergefahren.

a. Herr Weiß (übernachten, nach Wien weiterfahren) **b.** Herr Kühn (Kaffee trinken, nach Hause fahren) **c.** Herr Fuchs (essen, ins Kino gehen) **d.** Herr Neumann (fernsehen, in die Stadt fahren)

12.

> Wir haben unseren Zug verpaßt. Können wir bei euch übernachten?

a. Wir haben unseren Zug verpaßt. (übernachten) **b.** Unser Auto ist kaputt. (bleiben) **c.** Hans kommt morgen. (wohnen) **d.** Eva hat Kopfschmerzen. (schlafen) **e.** Michael braucht Geld. (arbeiten)

13.

> Herr Kühn (Frau Weiß), kann ich bei Ihnen telefonieren?

a. Herr Kühn – telefonieren **b.** Herr Fuchs – arbeiten **c.** Frau Berg – ein Ticket bestellen **d.** Herr Fischer – übernachten **e.** Herr Meier – meinen Wagen zur Reparatur anmelden **f.** Fräulein Heim – einen Kaffee trinken

14.

> Heute abend kommen Claudia und ihr Mann.
> Kennst du ihren Mann? – Nein, den kenne ich noch nicht.

a. Claudia (ihr Mann) **b.** Fräulein Heim (ihre Freundin) **c.** Karin (ihr Freund) **d.** Monika (ihre Eltern) **e.** Frau Berg (ihr Bruder)

Gar nicht so einfach

Manfred arbeitet in den Ferien im Hotel Hamburger Hof. Heute ist er sehr müde. Er hat wenig geschlafen.

• Sie kommen heute sehr spät, sagt der Empfangschef. Also los, an die Arbeit! Bringen Sie den Herren im Konferenzzimmer eine Flasche Whisky, Eis und Soda. Bringen Sie dann der Dame auf Zimmer sechs das Frühstück.

Dann gehen Sie zum Reisebüro, zu Frau Weber. Sagen Sie ihr, wir brauchen sieben Karten für die Stadtrundfahrt morgen nachmittag. Sie soll sie morgen früh schicken. Und bringen Sie zwanzig Theaterprogramme mit.

Dann melden Sie sich beim Ober im achten Stock. Helfen Sie ihm im Restaurant. Heute nachmittag räumen Sie das Konferenzzimmer auf. Dann rufen Sie mich in meinem Büro im Erdgeschoß an. Haben Sie noch Fragen?

Um elf Uhr sagt Mario:
• Manfred, du sollst zum Chef kommen.
Er ist im vierten Stock. Er ist ganz schön
wütend.
Manfred fährt in den vierten Stock.
• Sie wollten mich sprechen?

• Sagen Sie mal, was machen Sie denn
heute? Die Dame von Zimmer sechs hat
mich angerufen. Sie haben ihr eine Flasche Whisky gebracht. Die Dame wollte
ihr Frühstück: ein Ei, Toast, Marmelade
und Tee.

Und die Herren im Konferenzzimmer
sind ärgerlich. Sie wollten Whisky. Sie
haben ihnen Tee mit Zitrone gebracht.
Sie haben vom Reisebüro sieben Karten
für die Stadtrundfahrt geholt. Aber für
morgen früh!

Und Sie haben bei Frau Weber zwanzig
Theaterprogramme bestellt und ihr ge-
sagt, sie soll sie morgen früh schicken.
Und wem sollten Sie dann helfen? Dem
Ober im Restaurant und nicht dem Zim-
mermädchen!

Entschuldigen Sie, bitte, sagt Manfred, ich habe zuwenig geschlafen. Das
soll nicht wieder vorkommen.

1. wem?

Helfen Sie dem Ober, bitte.   – Helfen Sie ihm.
Bringen Sie der Dame den Tee. – Bringen Sie ihr den Tee.

Bringen Sie den Herren (den Damen) eine Flasche Wein. –
Bringen Sie ihnen eine Flasche Wein.

2. ich soll, sollte

ich (er/sie)	soll	sollte	wir (sie, Sie)	sollen	sollten
du	sollst	solltest	ihr	sollt	solltet

3. zum/zu, beim/bei, vom

Er soll zum Chef kommen (zum Bahnhof fahren).
Er soll zu Frau Weber gehen.

Bestellen Sie das Essen beim Ober.
Bestellen Sie das Programm bei Frau Weber.

Holen Sie die Karten vom Reisebüro.

4. Zahlen

der erste	sechste	elfte	einundzwanzigste	hunderterste
zweite	siebte	zwölfte		
dritte	achte			
vierte	neunte			
fünfte	zehnte	zwanzigste	hundertste	

1.

Wem soll ich helfen? – Helfen Sie dem Ober. Er ist allein im Restaurant.

a. Der Ober ist allein im Restaurant. **b.** Der Reporter ist allein im Büro. **c.** Der Empfangschef ist allein im Hotel. **d.** Der Quizmaster ist allein im Studio. **e.** Der Chef ist allein im Konferenzzimmer.

2.

> Wem soll ich den Apfelsaft bringen? –
> Den bringen Sie der Dame (dem Herrn) am Fenster.

a. der Apfelsaft – die Dame am Fenster **b.** die Theaterprogramme – die Dame auf Zimmer sieben **c.** das Frühstück – der Herr im ersten Stock **d.** die Karten – der Gast im vierten Stock **e.** das Ticket – der Empfangschef im Hotel Hamburger Hof **f.** der Brief – die Sekretärin im Konferenzzimmer **g.** der Kaffee – die Ansagerin im Studio

3.

> Wem sollten Sie den Tee bringen?   – Den Damen auf Zimmer sechs.
> Und wem haben Sie den Tee gebracht? – Den Herren im Konferenzzimmer.

a. der Tee – die Damen auf Zimmer sechs (die Herren im Konferenzzimmer)
b. der Whisky – die Herren im zweiten Stock (die Damen auf Zimmer zwei)
c. das Abendessen – die Mädchen in der Küche (die Damen auf dem Balkon)
d. der Kaffee – die Journalisten im Konferenzzimmer (die Reporter im Restaurant)

4.

> Die Herren (die Damen) sind im Konferenzzimmer. Bringen Sie ihnen das Frühstück!
> Bringen Sie den Herren (den Damen) im Konferenzzimmer das Frühstück!

a. die Herren – im Konferenzzimmer (das Frühstück) **b.** die Damen – im Konferenzzimmer (der Tee) **c.** die Gäste – im Studio (der Kaffee) **d.** die Damen – auf Zimmer drei (die Zeitung) **e.** die Herren – im Erdgeschoß (die Karten für die Stadtrundfahrt) **f.** die Damen – im Restaurant (die Theaterprogramme) **g.** die Herren – im Wohnzimmer (der Whisky)

5.

> Der Ober ist allein im Restaurant. Gehen Sie hin und helfen Sie ihm!

a. der Ober – im Restaurant **b.** Herr Meier – in der Werkstatt **c.** Herr Sommerfeld – im Studio **d.** Herr Fuchs – im Konferenzzimmer **e.** der Empfangschef – im Hotel **f.** der Journalist – im Büro

6.

> Die Dame ist sehr ärgerlich. Sie wollte Tee, und Sie haben ihr Kaffee gebracht.

a. Tee – Kaffee **b.** Toast – Schwarzbrot **c.** Rotwein – Apfelsaft **d.** das Theaterprogramm – die Zeitung **e.** Tee mit Zitrone – Whisky mit Soda

7.

> Ich habe Ihnen doch gesagt, Sie sollen den Damen das Frühstück bringen. Haben Sie das vergessen?
> Ich habe ihm (ihr) doch gesagt, er (sie) soll in den ersten Stock kommen. Hat er (sie) das vergessen?

a. Ihnen – den Damen das Frühstück bringen **b.** ihm – in den ersten Stock kommen **c.** ihr – das Buch mitbringen **d.** Ihnen – morgen kommen

8.

> Ihr Sohn ist am Apparat. Wollen Sie ihn sprechen? –
> Ich habe jetzt leider keine Zeit. Sagen Sie ihm, er soll später anrufen.

a. Ihr Sohn **b.** Ihr Bruder **c.** Ihr Freund

9.

> Deine Tochter ist am Apparat. Willst du sie sprechen? –
> Nein, jetzt nicht. Sag ihr, ich rufe sie später an.

a. deine Tochter **b.** deine Freundin **c.** deine Mutter **d.** deine Sekretärin

10.

> Dein (Ihr) Vater hat angerufen. – Was wollte er denn? – Du sollst (Sie
> sollen) nach Hause kommen.

a. dein Vater (nach Hause kommen) **b.** Ihr Bruder (die Theaterkarten holen) **c.** Ihre Frau (den Wagen aus der Werkstatt holen) **d.** deine Freundin
(die Kinokarten nicht vergessen) **e.** Ihr Chef (in sein Büro kommen) **f.** Ihre
Frau (die Einladung nicht vergessen) **g.** Peter (sein Buch mitbringen)

11.

> Bei wem haben Sie die Theaterprogramme bestellt? –
> Beim Empfangschef (bei Herrn Kühn, bei Frau Weber).

a. die Theaterprogramme (Empfangschef) **b.** das Frühstück (Zimmermädchen) **c.** der Toast (Ober) **d.** die Karten für die Stadtrundfahrt (Frau Weber)
e. das Ticket (Herr Kühn) **f.** die drei Karten (Fräulein Heim) **g.** der Wagen
(Herr Meier)

12.

> Sie sollten (er sollte) doch zu Frau Weber (zu Herrn Kühn, zum Reise-
> büro) gehen und sechs Karten holen.

a. Sie – Frau Weber – sechs Karten **b.** Sie – Herr Kühn – zwei Tickets **c.** er –
Reisebüro – zwanzig Theaterprogramme **d.** Fräulein Heim – Hauptpostamt
– die Briefe **e.** Sie – Herr Fuchs – die Zeitung **f.** er – Frau Berg – fünf Flaschen Bier **g.** sie – Supermarkt – eine Ananas

13.

> Dein Vater hat angerufen. Du sollst ihm den Wagen bringen.
> Euer Vater hat angerufen. Ihr sollt ihm den Wagen bringen.

a. dein Vater (den Wagen bringen) **b.** dein Chef (den Autoschlüssel bringen) **c.** dein Bruder (seine Bücher mitbringen) **d.** deine Mutter (sechs Flaschen Rotwein vom Supermarkt holen) **e.** deine Freundin (zwei Theaterprogramme vom Reisebüro holen)

Das Geschenk

Heute ist der sechzehnte September. Renate hat ihren dreiundzwanzigsten Geburtstag. Dieter hat sich mit ihr zum Abendessen verabredet.

- Herzlichen Glückwunsch zum Geburtstag, Renate, und alles Gute.
  Was wünschst du dir denn?
- Ach, sagt Renate, ich habe viele Wünsche. Ich möchte ein weißes Schloß am Meer, in Spanien zum Beispiel.

- Das tut mir leid. Das kann ich dir jetzt noch nicht kaufen. Vielleicht in zwanzig Jahren.
- Dann wünsche ich mir einen roten Sportwagen.
- Einen roten? Schade, es gibt im Augenblick nur grüne.

- Dann schenk mir eine schwarze Pelzjacke.
- Weißt du, Schwarz steht dir nicht.
- Ja, was soll ich mir dann noch wünschen?
- Ich habe dir was mitgebracht.
- Oh, zeig mal, was ist es denn?

- Das sage ich nicht. Rate mal!
- Ist es groß?
- Nein, es ist klein.
- Ist es schwer?
- Nein, es ist leicht.
- Ist es teuer?

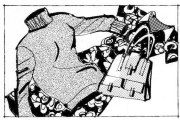

- Nicht sehr. Du weißt doch, ich habe nicht viel Geld. Aber billig ist es auch nicht.
- Eine braune Handtasche?
- Nein.
- Ein gelber Pullover? Ein langes Kleid?

- Auch nicht. Ich habe gesagt, es ist klein.
- Dieter, ist es rund?
- Ja.
- Ist es ein goldener Ring?
- Na endlich!

Renate gibt Dieter einen Kuß. Der Ober sieht zu und freut sich. Dann sagt er: „Möchten Sie jetzt bestellen?"

1. gelb, ein gelber Pullover

Der Pullover	ist gelb.	Ein	gelber Pullover.
Das Kleid	ist lang.	Ein	langes Kleid.
Die Handtasche	ist teuer.	Eine	teure Handtasche.
Die Pullover	sind gelb.		Gelbe Pullover.

2. einen roten Sportwagen

Möchtest du einen roten Sportwagen? – Nein, einen weißen.
Möchtest du ein gelbes Kleid? – Nein, ein rotes.
Möchtest du eine schwarze Pelzjacke? – Nein, eine braune.
Haben Sie rote Pullover? – Nein, nur grüne.

3. mir, dir, ihm, ihr . . .

Er schenkt (gibt) mir (dir, ihm, ihr, uns, euch, ihnen, Ihnen) ein Buch.

4. sich wünschen

Ich	wünsche mir ein Buch.	Wir wünschen uns	eine Gitarre.
Du	wünschst dir eine Uhr.	Ihr wünscht	euch einen Wagen.
Er/sie wünscht sich eine Gitarre.		Sie wünschen sich	ein Zelt.

5. viel/viele

Er hat nicht viel Geld.   Sie hat viele Wünsche.

6. Monate

Januar	April	Juli	Oktober	am ersten Januar
Februar	Mai	August	November	am zehnten September
März	Juni	September	Dezember	

7.

geben	ich gebe	du gibst	er gibt	hat gegeben
treffen	ich treffe	du triffst	er trifft	hat getroffen
sich verabreden		er verabredet sich	hat sich verabredet

1.

> Ist das Geschenk groß? – Nein, es ist klein.

a. groß/klein **b.** schwer/leicht **c.** teuer/billig

2.

> Ist es ein weißes Kleid?   – Nein, es ist kein weißes Kleid.
> Ist es eine weiße Pelzjacke?   – Nein, es ist keine weiße Pelzjacke.
> Ist es ein weißer Sportwagen? – Nein, es ist kein weißer Sportwagen.

a. das Kleid, das Schloß, das Haus, das Auto, das Klavier, das Telefon
b. die Pelzjacke, die Gitarre **c.** der Sportwagen, der Fußball, der Teppich
d. die Handtasche (Ja, es ist . . .)

3.

> Renate hat viele Wünsche. Sie wünscht sich ein großes Schloß (einen
> roten Sportwagen, eine braune Handtasche).

a. Schloß (groß, teuer, klein) **b.** Sportwagen (rot, grün, weiß, teuer) **c.** Handtasche (braun, weiß, teuer, schwarz) **d.** Kleid (lang, teuer, weiß)

4.

> Ich möchte einen gelben Pullover. – Tut mir leid, wir haben im Augen-
> blick keinen gelben, wir haben nur schwarze.

a. ein gelber Pullover (schwarz) **b.** eine billige Handtasche (teuer) **c.** ein schwarzes Klavier (braun)

5.

> Dieter sagt, es gibt keine roten Sportwagen, es gibt im Augenblick nur grüne. Stimmt das? – Natürlich nicht. Aber er hat kein Geld. Er kann keinen Sportwagen kaufen.

a. rote Sportwagen (grün), weiße Fußbälle (braun), grüne Teppiche (rot) **b.** gelbe Häuser (schwarz), kleine Schlösser (groß), schwarze Klaviere (weiß) **c.** billige Handtaschen (teuer), weiße Pelzjacken (gelb), große Gitarren (klein)

6.

> Dieter hat Renate einen goldenen Ring mitgebracht. Sie freut sich sehr.

a. Dieter – Renate – ein goldener Ring **b.** Hans – sein Bruder – ein weißer Fußball **c.** ich – meine Freundin – ein grüner Pullover **d.** Herr Kühn – seine Frau – ein teures Buch **e.** Herr Schneider – seine Sekretärin – eine schwarze Handtasche

7.

> Was wünschst du dir? – Ich wünsche mir ...
> Was wünscht ihr euch? – Wir wünschen uns ...
> Was wünschen Sie sich? – Ich wünsche mir ...

a. ein weißes Schloß **b.** einen roten Sportwagen **c.** ein grünes Kleid **d.** eine schwarze Pelzjacke **e.** ein teures Buch **f.** eine kleine Handtasche

8.

> Dieter soll seiner Freundin zum Geburtstag ein Schloß kaufen. –
> Was soll er ihr kaufen? Der hat doch gar kein Geld!

a. Dieter – seine Freundin – ein Schloß **b.** Herr Zinn – sein Sohn – ein Sportwagen **c.** Michael – seine Freundin – eine Pelzjacke **d.** Herr Kühn – seine Frau – ein Haus **e.** Hans – sein Bruder – ein Fußball **f.** Herr Fuchs – seine Kinder – ein Klavier **g.** Peter – seine Frau – ein Kühlschrank **h.** Frau Neumann – ihr Mann – eine Flasche Whisky **i.** Fräulein Heim – ihr Chef – eine Brieftasche **j.** das Zimmermädchen – ihr Freund – ein Auto

9.

> Triffst du Renate heute? –
> Natürlich, ich habe mich mit ihr zum Mittagessen verabredet.
> Treffen Sie Herrn Fuchs heute? –
> Natürlich, ich habe mich mit ihm in Frankfurt verabredet.

a. du – Renate (zum Mittagessen) **b.** Sie – Herrn Fuchs (in Frankfurt)
c. Sie – Frau Berg (im Restaurant) **d.** er – Herrn Weiß (in der Stadt) **e.** du –
deinen Freund (zum Tennisspielen) **f.** Brigitte – ihre Mutter (im Supermarkt) **g.** sie – ihren Bruder (im Konzert)

10.

> Warum willst du eine schwarze Pelzjacke? Schwarz steht dir doch nicht.

a. eine schwarze Pelzjacke **b.** ein grüner Pullover **c.** ein rotes Kleid **d.** eine
weiße Handtasche

11.

> Renate hat Geburtstag. Dieter sagt: Einen roten Sportwagen konnte ich
> dir nicht kaufen. Aber ich habe dir einen goldenen Ring mitgebracht.

a. ein roter Sportwagen – ein goldener Ring **b.** eine schwarze Pelzjacke –
eine schwarze Handtasche **c.** ein weißes Schloß – ein gelber Pullover **d.** ein
goldener Ring – ein kleines Buch **e.** ein weißes Klavier – eine teure Platte

12.

> Wann gehen Sie skifahren? – Am achten Januar.

a. skifahren gehen (1. Januar) **b.** in Urlaub fahren (10. Februar) **c.** nach
Teheran fahren (15. März) **d.** nach Spanien fahren (11. April) **e.** nach Südamerika fliegen (12. Mai) **f.** nach Wien kommen (15. Juni) **g.** Herrn Kühn
treffen (16. Juli) **h.** aus Italien zurückkommen (2. August) **i.** in die Schweiz
reisen (25. September) **j.** Geburtstag haben (3. Oktober) **k.** das Haus kaufen (16. November) **l.** ins Konzert gehen (16. Dezember)

Kurze Unterbrechung 16 A

Fritz Neumann hatte eine kleine Wirtschaft mit Garten in der Nähe von Bremen. Sonntags kamen viele Spaziergänger zu ihm, aßen Kuchen und tranken Kaffee oder Bier. Er hatte nicht viel Geld, aber er konnte ganz gut leben.

Eines Tages kam der Briefträger und sagte: „Herzlichen Glückwunsch, Herr Neumann, Sie haben im Lotto gewonnen." „Wieviel?" fragte Fritz Neumann. „Eine Million!" „Das genügt vorläufig." Er schrieb ein großes Schild:

> **Vorübergehend geschlossen**
> **Bin verreist**

Dann bestellte er ein Taxi und fuhr in die Stadt. Er ging in ein Kaufhaus und kaufte ein: zehn Anzüge, zwanzig Oberhemden, dreißig Krawatten, zwölf Paar Schuhe, drei Mäntel und einen Regenschirm, Strümpfe, Wäsche und fünf große Koffer.

Nachmittags ging er in ein Reisebüro. Am nächsten Morgen packte er seine Koffer, brachte seinem Freund den Hausschlüssel, sagte „Auf Wiedersehen, ich bin bald wieder da" und fuhr zum Flughafen.

Nach sechs Monaten hing ein neues Schild an der Tür:

Wieder geöffnet

Fritz Neumann war wieder da und brachte seinen Gästen Kuchen, Kaffee und Bier.

Die Gäste waren neugierig. „Na, Herr Neumann, wie war's denn?" fragten sie, „nun erzählen Sie mal. Sie waren ja lange unterwegs. In sechs Monaten kann man ja fast eine Weltreise machen." „Stimmt", sagte Fritz Neumann.

„Wo waren Sie denn?" „Überall", sagte Fritz Neumann. „Wieso, überall?" „In Europa, Asien, Australien, Afrika und Amerika."

„Was, da waren Sie überall? Das war doch sicher wahnsinnig teuer, was?" „Ziemlich", sagte Fritz Neumann, „eine Million". „Ja, und wie war's?" „Interessant. Überall nette Leute. Möchten Sie noch ein Bier?"

16 B

1. bestellen, fragen, packen, sagen

ich (er/sie)	bestellte	fragte	packte	sagte
wir (sie, Sie)	bestellten	fragten	packten	sagten

2. essen, bringen, fahren, gehen, hängen, kommen, schreiben, trinken

ich (er/sie)	aß	brachte	fuhr	ging	hing	kam	schrieb	trank
wir (sie, Sie)	aßen	brachten	fuhren	gingen	hingen	kamen	schrieben	tranken

3.

einkaufen	– er hat	eingekauft	aussteigen	– er ist	ausgestiegen
einpacken	–	eingepackt	verreisen	–	verreist
gewinnen	–	gewonnen			
bekommen	–	bekommen			

4. meinen, deinen, seinen, ihren . . .

Ich bringe	meinen Gästen Wein.
Du bringst	deinen Gästen Zigaretten.
Er bringt	seinen Gästen Bier.
Sie bringt	ihren Kindern Apfelsaft.
Wir bringen	unseren Freunden Wein.
Ihr bringt	euren Gästen Whisky.
Sie bringen	ihren Sekretärinnen Kaffee.
Bringen Sie	Ihren Gästen Kaffee?

5. in einen/ein/eine

Er steigt in einen Bus ein.
Herr Neumann geht in ein Restaurant.
Herr Fuchs geht in eine Besprechung.

1.

Früher hatte ich nur ein Zimmer. Jetzt habe ich eine große Wohnung.

a. Zimmer – Wohnung (groß) **b.** Motorrad – Auto (teuer) **c.** Haus – Schloß
(weiß) **d.** Restaurant – Hotel (groß) **e.** Büro – Konferenzzimmer (groß)
f. Zelt – Wohnzimmer (teuer)

2.

War das Schild gestern schon da? – Nein, es ist neu.
Nein, das ist ein neues Schild.

a. War das Schild gestern schon da? **b.** Hatten Sie den Wagen schon im
Winter? **c.** Hattest du den Pullover schon immer? **d.** Hatten Sie das Büro
früher schon? **e.** Hatte er den Anzug gestern schon?

3.

> Früher war es sonntags immer sehr schön. Nachmittags kamen meine Eltern, und dann tranken wir Kaffee.

a. meine Eltern – Kaffee trinken **b.** meine Kinder – Eis essen **c.** meine Freunde – Bier trinken **d.** meine Töchter – Kuchen essen

4.

> Wo ist denn Herr Zinn? –
> Der macht eine Weltreise. Im Januar schrieb er aus Stockholm.

a. Januar – Stockholm **b.** Februar – Kopenhagen **c.** März – Oslo **d.** April – Amsterdam **e.** Mai – Brüssel **f.** Juni – Paris **g.** Juli – Madrid **h.** August – Rio **i.** September – Buenos Aires **j.** Oktober – New York **k.** November – Tokio **l.** Dezember – Moskau

5.

> Warum bestellte Fritz Neumann ein Taxi? –
> Weil er in die Stadt fahren wollte.

a. ein Taxi bestellen – in die Stadt fahren **b.** in die Stadt fahren – einkaufen **c.** fünf Koffer kaufen – verreisen **d.** ein Taxi bestellen – zum Flughafen fahren **e.** in ein Kaufhaus gehen – einen Regenschirm kaufen **f.** ins Restaurant gehen – essen **g.** ins Büro fahren – seinen Freund sprechen **h.** in die Werkstatt gehen – seinen Wagen holen

6.

Herr Neumann	brachte	seinen	Gästen Bier. Sie wollten aber Kaffee.
Marion	brachte	ihren	Gästen Bier. Sie wollten aber Kaffee.
Wir	brachten	unseren	Gästen Bier. Sie wollten aber Kaffee.
Sie	brachten	ihren	Gästen Bier. Sie wollten aber Kaffee.

a. Gäste – Bier (Kaffee) **b.** Freunde – Tee (Eis) **c.** Sekretärinnen – Whisky (Saft) **d.** Kinder – Brot (Kuchen) **e.** Gäste – Schnitzel (Kalbsbraten)

7.

> Herr Zinn sagte: Ich gehe ein Bier trinken. Ich bin gleich wieder da.

a. Herr Zinn – ein Bier trinken **b.** Michael – ein Schnitzel essen **c.** Frau Kühn – einen Kaffee trinken **d.** Eva – einen Mantel kaufen **e.** Brigitte – eine Salami kaufen

8.

> Die Gäste nehmen Platz und bestellen ein Bier.
> Die Gäste nahmen Platz und bestellten ein Bier.

a. Die Gäste nehmen Platz und bestellen ein Bier. **b.** Die Studenten packen ihre Koffer und fahren ins Ausland. **c.** Die Kinder sagen „Auf Wiedersehen" und gehen nach Hause. **d.** Die Studenten sagen „Vielen Dank" und steigen aus.

9.

> Früher haben wir viel gearbeitet. Mein Vater ging (fuhr) schon um sechs Uhr in die Werkstatt.

a. mein Vater – sechs Uhr in die Werkstatt **b.** meine Mutter – sieben Uhr ins Büro **c.** ich – acht Uhr in die Stadt **d.** mein Bruder – sieben Uhr zum Bahnhof

10.

> Haben Sie Fräulein Heim noch getroffen? – Leider nicht, ich kam zu spät. (wir kamen zu spät.)

a. Haben Sie Fräulein Heim noch getroffen? **b.** Hat Rolf den Krimi noch gesehen? **c.** Konnten Sie noch Zigaretten kaufen? **d.** Haben Sie noch Mittagessen bekommen? **e.** Haben Sie Ihren Zug noch bekommen? **f.** Haben Sie Ihr Flugzeug noch bekommen? **g.** Haben Sie noch Theaterkarten bekommen?

11.

> Sind Sie Flugkapitän, Herr Fischer? Da haben Sie einen interessanten Beruf. Waren Sie schon einmal in Asien? – Ja, da war ich im April.

a. Asien – April **b.** Amerika – März **c.** Australien – Winter **d.** Afrika – Sommer **e.** Europa – Januar

12.

> Hans und Eva Kaufmann wollen in Urlaub fahren. Sie packen ihre Koffer. Brauchen wir den großen Koffer? – Ja, den brauchen wir. (Nein, den brauchen wir nicht.)

a. Brauchen wir den großen Koffer? Ja, . . . **b.** Brauchst du den braunen Anzug? Nein, . . . **c.** Brauchst du den weißen Mantel? Ja, . . . **d.** Brauchst du die braunen Schuhe? Nein, . . . **e.** Hast du die gelben Strümpfe eingepackt? Ja, . . . **f.** Packst du die grüne Krawatte ein? Nein, . . . **g.** Nimmst du den schwarzen Regenschirm mit? Nein, . . . **h.** Hast du die Wäsche eingepackt? Ja, . . . **i.** Hast du meine Oberhemden eingepackt? Ja, . . .

13.

> Herr Schneider wollte essen, aber am Restaurant hing ein Schild: Heute geschlossen.

a. essen – Restaurant (Heute . . .) **b.** ein Paar Schuhe kaufen – Kaufhaus (Samstags . . .) **c.** sein Ticket abholen – Reisebüro (Vorübergehend . . .) **d.** ein Zimmer bestellen – Hotel (Im Winter . . .) **e.** seinen Freund sprechen – Büro (Heute . . .)

14.

> Brigitte hat einen Freund. Renate ist neugierig. Was fragt sie? Schreiben Sie ihre Fragen auf!

a. Geld **b.** groß **c.** Wohnung **d.** Haus **e.** Beruf **f.** Auto **g.** Ring

Test 4

A. sie (1) ihm (2) ihn (3) ihr (4) ihnen (5)
   a. Kennen Sie Frau Kaufmann? Nein, aber ich möchte . . . gern kennenlernen. **b.** Kennen Sie Herrn Kühn? Ja, ich habe . . . schon kennenge-
   lernt. **c.** Sie sollten dem Ober helfen! Ich habe . . . doch geholfen! **d.** Sie
   sollten Frau Kaufmann helfen! Ich habe . . . doch geholfen! **e.** Sie
   sollten den Damen das Frühstück bringen! Ich habe es . . . doch gebracht! **f.** Haben die Kinder genug Geld? Ja, ich habe . . . zehn Mark
   gegeben. **g.** Herr Neumann und Herr Kühn haben Durst. Bringen Sie
   . . . eine Flasche Wein.

B. rot (1) grüner (2) schwarzen (3) gelbe (4)
   a. Herr Fuchs kauft sich einen . . . Wagen. **b.** Wo ist mein . . . Pullover?
   c. Das Kleid ist . . . **d.** Wir haben nur . . . Handtaschen. **e.** Ich kaufe
   einen . . . Anzug. **f.** Da steht ein . . . Sportwagen.

C. seinem (1) seiner (2) seine (3) seinen (4)
   a. Er schenkt . . . Freundin ein Buch. **b.** . . . Freundin freut sich dar-
   über. **c.** Er kauft . . . Sohn ein Motorrad. **d.** Er schickt . . . Kindern
   Geld. **e.** Er schreibt . . . Frau einen Brief. **f.** Er hilft . . . Freunden. **g.** Er
   ruft . . . Freundin an.

D. wem (1) wen (2)
   a. . . . sollten Sie helfen? **b.** . . . haben Sie geholfen? **c.** . . . haben Sie
   getroffen? **d.** . . . schreiben Sie einen Brief? **e.** . . . bringen Sie heute
   abend mit?

E. mit meinem (1) mit meiner (2) mit seinem (3) mit seiner (4) mit ihrem (5)
   mit ihrer (6)
   a. Wer kommt? Mein Sohn und ich. Ich komme . . . Sohn. **b.** Mein
   Vater und ich. Ich komme . . . Vater. **c.** Meine Mutter und ich. Ich
   komme . . . Mutter. **d.** Hans und seine Freundin. Er kommt . . . Freundin. **e.** Eva und ihr Bruder. Sie kommt . . . Bruder. **f.** Herr Kaufmann
   und seine Tochter. Er kommt . . . Tochter. **g.** Klaus und sein Freund.
   Er kommt . . . Freund. **h.** Frau Kühn und ihre Tochter. Sie kommt . . .
   Tochter.

F. uns (1) euch (2) Ihnen (3)
a. Ihr verreist heute? Wir wünschen . . . eine gute Reise. **b.** Sie verreisen, Herr Kühn? Ich wünsche . . . einen guten Flug. **c.** Ihr fahrt nach Griechenland? Schickt . . . eine Flasche Rotwein. **d.** Ich schreibe . . . einen Brief, Frau Berg. **e.** Bitte, bringen Sie . . . noch zwei Bier.

G. bin (1) habe (2) hat (3) ist (4)
a. Heute . . . ich zu spät gekommen. **b.** Er . . . verschlafen. **c.** Sie . . . nach Köln gefahren. **d.** Ich . . . viel gelesen. **e.** Sie . . . Klavier gespielt. **f.** Ich . . . gewandert. **g.** Er . . . geschlafen.

H. soll (1) sollte (2) sollten (3) mußten (4)
a. Wir konnten leider nicht kommen, wir . . . arbeiten. **b.** . . . ich Ihnen ein Bier bringen, Herr Kühn? **c.** Sie . . . mir Kaffee bringen, keinen Apfelsaft! **d.** Michael . . . gestern kommen, aber er hat das Flugzeug verpaßt. **e.** Die Kinder hatten keine Zeit, sie . . . Hausaufgaben machen.

I. geben (1) schenken (2) kaufen (3)
a. Ich will mir eine Handtasche . . . **b.** . . . Sie mir bitte die Speisekarte. **c.** Zum Geburtstag . . . wir ihm ein Motorrad. **d.** Das Buch kostet nichts, das kann ich Ihnen . . . **e.** Das Ticket kann ich Ihnen leider nicht . . ., das ist im Büro. **f.** . . . Sie mir bitte einen Apfelsaft.

J. viel (1) viele (2)
a. Haben Sie . . . Bücher? **b.** Wir haben . . . Freunde im Ausland. **c.** Sie haben aber . . . Wünsche! **d.** Fahren Sie schnell, ich habe nicht . . . Zeit. **e.** Brauchen Ihre Kinder . . . Geld? **f.** Rauchen Sie . . .? **g.** Haben Sie . . . Kinder?

K. mit ihm (1) mit ihr (2) mit ihnen (3)
a. Kennen Sie Herrn Weiß? Ja, ich habe . . . zusammen studiert. **b.** Sind Herr und Frau Kaufmann zu Hause? Ja, ich habe gerade . . . telefoniert. **c.** Kommt Renate heute abend? Ja, ich habe mich . . . zum Abendessen verabredet. **d.** Mein Sohn ist schlecht in der Schule. Da kommt sein Lehrer. Sprechen Sie doch mal . . .

Wo waren Sie denn?

Hallo, Herr Meier, wie geht's? Wir haben uns lange nicht mehr gesehen.
Danke, gut, und Ihnen? Sie sind ja ganz braungebrannt!
Ja, wir sind gestern aus dem Urlaub zurückgekommen. Wir haben uns gut
erholt. Wir hatten wunderbares Wetter, jeden Tag Sonne, wie an der Adria.
Da haben Sie aber Glück gehabt. Ich war in Italien, und da hat es geregnet.
Wo waren Sie denn?
Ich war mit meiner Familie am Rhein und in Norddeutschland.
Sind Sie mit dem Wagen gefahren?
Nein, ich wollte einmal vierzehn Tage ohne Auto verbringen. Wir sind von
Frankfurt nach Mainz mit dem Zug gefahren. Von Mainz nach Köln haben
wir eine Dampferfahrt gemacht, und dann sind wir mit dem Zug nach Han-
nover und Hamburg weitergefahren. Von Hamburg sind wir gestern nach
Hause geflogen.
Das war ja eine Rundreise durch die halbe Bundesrepublik!
Ja. Wissen Sie, ein Urlaub in Spanien oder Italien ist natürlich eine schöne
Sache, aber die Kinder sollen auch die Bundesrepublik kennenlernen. In Rü-
desheim haben wir die Dampferfahrt unterbrochen und sind drei Tage dort
geblieben.
Da haben Sie sicher den neuen Wein probiert, nicht wahr?
Richtig. Er ist übrigens ausgezeichnet. Wir sind aber auch viel gewandert.
In Köln haben die Kinder den Dom besichtigt, und ich bin für einen Tag
nach Aachen gefahren. Da habe ich einen Geschäftsfreund.

Und was haben Sie in Hamburg gemacht?
Natürlich eine Hafenrundfahrt. Das war sehr interessant. Meine Frau und die Kinder wollten noch nach Helgoland, aber dafür hatten wir keine Zeit mehr. Wir sind nur zwei Tage in Hamburg geblieben. Das reichte gerade für den Hafen, das Museum in Altona, einen Bummel durch die Innenstadt und einen Abend auf der Reeperbahn.
Das ist eine sehr gute Idee. Die gefällt mir. Wissen Sie, Ihnen kann ich es ja sagen: ich war schon in Amerika, in Japan und Neuseeland, aber in Hamburg war ich erst ein einziges Mal. Meinen nächsten Urlaub verbringe ich auch in der Bundesrepublik.

1. der neue Wein – den neuen Wein

Der neue Wein	ist gut.	Wir haben	den neuen Wein probiert.
Das neue Auto	ist teuer.	Wir haben	das neue Auto geholt.
Die neue Wohnung	ist groß.	Wir haben	die neue Wohnung besichtigt.

2. durch

Wir sind durch die Innenstadt gefahren.
Wir sind durch Italien gefahren.

3. für – dafür

Wir haben genug Zeit für den Hafen.
Wir haben genug Geld für das Taxi.
Wir haben genug Geld für die Rückfahrt. (zurückfahren, die Rückfahrt)

Dafür haben wir nicht genug Zeit (Geld).

4.

besichtigen	– er hat	besichtigt
sich erholen	–	sich erholt
probieren	–	probiert
unterbrechen	–	unterbrochen
bleiben	– er ist	geblieben
weiterfahren	–	weitergefahren
zurückkommen	–	zurückgekommen

1.

Der neue Wein ist sehr gut. – Leider ist er sehr teuer.

a. der Wein (neu – sehr gut) **b.** der Sportwagen (rot – sehr schön) **c.** die Uhr (golden – sehr schön) **d.** die Wohnung (neu – sehr groß) **e.** das Haus (neu – sehr groß)

2.

Wie gefällt Ihnen der neue Flughafen (das neue Rathaus, die neue Wohnung)? –
Er (es, sie) gefällt mir sehr gut.

a. der Flughafen **b.** das Rathaus **c.** die Wohnung **d.** das Auto **e.** der Chef **f.** die Handtasche

3.

Haben Sie den neuen Wein schon probiert?

a. der neue Wein (probieren) **b.** das neue Rathaus (besichtigen) **c.** der neue Flughafen (sehen) **d.** die neue Wohnung (besichtigen) **e.** der neue Wagen (kaufen) **f.** das neue Telefon (bringen) **g.** das neue Kaufhaus (sehen)

4.

> Wann kaufst du den neuen Wagen? –
> Nächste Woche (nächsten Monat, nächstes Jahr).

a. der neue Wagen **b.** das neue Klavier **c.** die schwarze Pelzjacke **d.** der neue Kühlschrank

5.

> Hier hat es den ganzen Sommer geregnet. Meinen nächsten Urlaub verbringe ich in Spanien.

a. ich – Spanien **b.** er – Italien **c.** sie – Frankreich **d.** wir – Österreich

6.

> Sind Sie mit dem Wagen gefahren? – Nein, ich bin mit dem Zug gefahren.

a. Sie – Wagen (Zug) **b.** er – Zug (Wagen) **c.** sie – Taxi (Bus) **d.** er – Auto (Motorrad) **e.** du – Straßenbahn (Bus) **f.** er – Zug (Dampfer)

7.

> Was haben Sie Ihrer Familie mitgebracht? –
> Meinem Sohn habe ich aus Spanien eine Gitarre mitgebracht.

a. Sohn – Spanien – Gitarre **b.** Frau – Italien – ein Paar Schuhe **c.** Tochter – Frankreich – Handtasche **d.** Freundin – Österreich – zwei Pullover

8.

> Herr Neumann ist gestern aus dem Urlaub zurückgekommen. Er hat eine Rundreise durch ganz Amerika gemacht.

a. Amerika **b.** Europa **c.** Asien **d.** Afrika **e.** Australien **f.** Japan

9.

> Guten Tag, Eva. Wie geht's? Ich habe dich lange nicht mehr gesehen. –
> Ja, ich war drei Wochen verreist.

a. Eva **b.** Herr Zinn **c.** Frau Berg **d.** Hans **e.** Herr Neumann

10.

> Wir haben die Dampferfahrt in Rüdesheim unterbrochen. Dort sind wir
> zwei Tage geblieben.

a. wir – Dampferfahrt – Rüdesheim (zwei Tage) **b.** ich – Flug – Hamburg
(ein Tag) **c.** er – Reise – München (eine Woche) **d.** wir – Geschäftsreise –
Paris (drei Tage) **e.** sie – Autofahrt – Stockholm (zwei Wochen)

11.

> Herr Neumann hat im Lotto gewonnen. – Da hat er aber Glück gehabt!

a. Herr Neumann **b.** Frau Berg **c.** Hans und Eva Kaufmann **d.** wir **e.** die
Studentin

12.

> Der Urlaub war wahnsinnig teuer. Das Geld reichte gerade noch für die
> Rückfahrt.

a. die Rückfahrt **b.** eine Hafenrundfahrt **c.** eine Theaterkarte **d.** das Taxi
e. das Flugticket **f.** ein Kaffee

13.

> Haben Sie in Köln den Dom besichtigt? –
> Leider nicht, dafür hatte ich keine Zeit mehr.

a. Köln – Dom **b.** Altona – Museum **c.** Hamburg – Hafen **d.** Mainz –
Dom **e.** Augsburg – Innenstadt **f.** Frankfurt – Flughafen **g.** München –
Rathaus

14.

> Peter ist per Anhalter durch ganz Europa gefahren.

a. Europa **b.** Italien **c.** Österreich **d.** Spanien

15.

> Was hat Herr Weiß im Urlaub gemacht? – Er ist nach Amerika geflogen.

a. Herr Weiß – nach Amerika fliegen **b.** Ihre Frau – eine Hafenrundfahrt machen **c.** Ihr Sohn – das Museum besichtigen **d.** Brigitte – nach Hamburg fahren **e.** die Kinder – den Dom besichtigen

16.

> Ich bin schon durch ganz Spanien gereist, aber in Hamburg war ich erst ein einziges Mal.

a. Spanien – Hamburg **b.** Frankreich – Österreich **c.** Italien – Köln **d.** Amerika – Stuttgart **e.** Japan – Mainz

17.

> In Spanien hatten wir wunderbares Wetter. –
> Da haben Sie Glück gehabt. Hier hat es die ganze Woche geregnet.

a. in Spanien (die ganze Woche) **b.** in Italien (den ganzen Monat) **c.** In Frankreich (die ganze Zeit) **d.** in Amerika (den ganzen Sommer)

18.

> Wie geht es Ihnen, Herr Meier? – Danke, es geht mir ausgezeichnet.
> Wie geht es Herrn Baumann? – Danke, es geht ihm ausgezeichnet.

a. Herr Meier **b.** Herrn Baumann **c.** Brigitte **d.** Frau Kühn **e.** Ihrer Frau **f.** Ihrem Sohn **g.** Ihrer Tochter **h.** Hans und Eva Kaufmann **i.** Ihren Kindern

Zimmer gesucht **18 A**

Hans-Werner Neubauer
8045 Ismaning
Krausstr. 28
17. 9. 1972

Betr.: Ihre Anzeige AZ 14 im Weser-Kurier vom 15. 9. 1972

Sehr geehrte Herren!

Ab Oktober gehe ich zur Seefahrtschule in Bremen und suche deshalb ein ruhiges, kleines Zimmer. Ich bin 25 Jahre alt, alleinstehend und Nichtraucher. Ich habe kein Auto und bin auf öffentliche Verkehrsmittel angewiesen. Ich muß noch erwähnen, daß ich manchmal Akkordeon spiele, aber natürlich nicht nach zehn Uhr abends.

Bitte schreiben Sie mir, wo Ihr Haus liegt. Ich habe einen Stadtplan und kann nachsehen, wie weit es zur Seefahrtschule ist. Ich entscheide mich sofort. Und teilen Sie mir bitte mit, wie hoch die Miete ist.

Vielen Dank für Ihre Bemühungen.

Mit besten Empfehlungen

H.-W. Neubauer

Grete Meyerdierks   28 Bremen
                                                 Hegelstr. 326
                                                 20. 9. 1972

Herrn
Hans-Werner Neubauer

8045 Ismaning
Krausstraße 28

Sehr geehrter Herr Neubauer!

Vielen Dank für Ihre Zuschrift auf meine Anzeige im Weser-Kurier. Das
Zimmer ist etwa 14 Quadratmeter groß. Es ist im dritten Stock in der
Hegelstraße, nur wenige Minuten von der Innenstadt. Unser Haus liegt
sehr verkehrsgünstig. Eine Straßenbahnhaltestelle ist in der Nähe. Dort
halten alle wichtigen Linien. Bis zum Hauptbahnhof sind es genau zwanzig
Minuten. Sie können zu Fuß in die Stadt gehen. Bis zur Seefahrtschule
ist es auch nicht weit. Sie liegt in der Werderstraße, direkt an der Weser.
Eine Post und eine Bank sind in der nächsten Querstraße. Im Nachbar-
haus haben zwei Ärzte ihre Praxis, und daneben ist eine Apotheke.

Das Zimmer kostet DM 80,— monatlich. Ich muß Ihnen noch sagen, daß
in unserem Haus Haustiere verboten sind.

Schreiben Sie bitte sofort, wenn Sie sich für das Zimmer interessieren.
Wir haben sehr viele Zuschriften bekommen.

                              Mit freundlichen Grüßen

                              Grete Meyerdierks

1. daß, wenn, wo; wie weit, wie hoch

Ich muß erwähnen,	daß	Ich spiele Akkordeon. ich Akkordeon spiele.
Schreiben Sie,	wenn	Sie interessieren sich für das Zimmer. Sie sich für das Zimmer interessieren.
Schreiben Sie mir,	wo	Wo liegt Ihr Haus? Ihr Haus liegt.
Schreiben Sie mir,	wie weit	Wie weit ist es zur Schule? es zur Schule ist.
Schreiben Sie mir,	wie hoch	Wie hoch ist die Miete? die Miete ist.

2. erster März = 1.3.

1. 3. = erster März   5. 6. = fünfter Juni   10. 9. = zehnter September

3. wenig/wenige, viel/viele, alle

Er hat wenig Geld.   Er hat viel Zeit.
Wenige Minuten von hier.   Sie bekommt viele Zuschriften.
Dort halten alle Linien.

4. bis zum, bis zur

Bis zum Hauptbahnhof ist es nicht weit.
Bis zur Schule sind es zwanzig Minuten.

1.

> Was schreibt Ihr Freund aus Spanien? –
> Er schreibt, daß wunderbares Wetter ist.

a. Ihr Freund – Spanien (es ist wunderbares Wetter) **b.** sein Sohn – Amerika (es geht ihm gut) **c.** unsere Lehrerin – Brasilien (es regnet jeden Tag) **d.** eure Tochter – Italien (sie hat ein ruhiges Zimmer) **e.** Herr Kühn – Österreich (das Essen ist billig) **f.** Michael – die Bundesrepublik (er braucht seinen Mantel, weil es regnet)

2.

> Ich muß noch erwähnen, daß ich Akkordeon spiele.

a. Ich spiele Akkordeon. **b.** Ich spiele Klavier. **c.** Ich spiele Gitarre. **d.** Ich bin Nichtraucher. **e.** Ich spiele Fußball. **f.** Ich bin verheiratet. **g.** Ich habe zwei Kinder. **h.** Ich habe kein Geld. **i.** Ich bin alleinstehend.

3.

> Sie waren doch schon einmal in Italien. Wissen Sie, wie weit es bis Rom ist? –
> Ich weiß es nicht genau, aber mit dem Auto brauchen Sie etwa zwei Tage.

a. Italien – Rom (Auto – zwei Tage) **b.** Spanien – Madrid (Flugzeug – drei Stunden) **c.** Österreich – Wien (Zug – acht Stunden) **d.** Frankreich – Paris (Flugzeug – fünfzig Minuten) **e.** Schweiz – Genf (Bus – einen Tag) **f.** Amerika – New York (Flugzeug – acht Stunden)

4.

> Wir teilen Ihnen mit, daß Sie eine Million gewonnen haben.

a. Sie haben eine Million gewonnen. **b.** Die Miete ist DM 80,— monatlich. **c.** Das Zimmer kostet DM 80,— monatlich. **d.** Das Flugzeug nach New York geht jeden Tag um 11 Uhr 20. **e.** Sie können nächste Woche in Berlin anfangen.

5.

Wenn Sie ein Zimmer suchen, müssen Sie sofort schreiben.
Wenn Sie das Zimmer wollen, müssen Sie sich sofort entscheiden.

a. Sie – Zimmer **b.** er – Auto **c.** Sie – Klavier **d.** du – Wagen **e.** ihr – Wohnung **f.** sie – Gitarre

6.

Wenn Sie sich für das Zimmer interessieren, schreiben Sie bitte sofort.
Wenn Sie sich für das Haus interessieren, rufen Sie bitte sofort an.

a. Zimmer – sofort schreiben **b.** Haus – sofort anrufen **c.** Wagen – sofort mitteilen (!) **d.** Klavier – sofort kommen **e.** Buch – sofort sagen (!)

7.

Haben Sie einen Stadtplan? –
Nein, aber ich weiß, wo die Seefahrtschule ist.

a. Seefahrtschule **b.** Theater **c.** Hauptpostamt **d.** Flughafen **e.** Dom **f.** Museum **g.** Hafen **h.** Straßenbahnhaltestelle **i.** Bank **j.** Post

8.

Wie weit ist es bis zur Schule (bis zum Restaurant)? –
Nicht weit, nur zehn Minuten. Nicht weit, nur wenige Minuten.

a. Schule – zehn Minuten **b.** Restaurant – fünf Minuten **c.** Rathaus – acht Minuten **d.** Hauptpostamt – zwanzig Minuten **e.** Hauptbahnhof – fünf Minuten

9.

Wie hoch ist die Miete, DM 100,—? Das ist aber viel (nicht wenig)!

a. Wie hoch ist die Miete, DM 100,—? **b.** Der Wagen kostet DM 10000,—? **c.** Sie arbeiten vierzehn Stunden am Tag? **d.** Sie haben sechs Flaschen Bier getrunken? **e.** Sie spielen jeden Tag vier Stunden Klavier?

10.

> Hat er dir erzählt, daß er Klavier spielt? –
> Ja, er hat es erwähnt.

a. er – Klavier spielen **b.** sie – Gitarre spielen **c.** wir – Fußball spielen **d.** sie – Akkordeon spielen

11.

> Wann waren Sie in Köln? – Am 17. Dezember.

a. Köln – 17. 12. **b.** Paris – 1. 3. **c.** Rom – 2. 5. **d.** Madrid – 4. 6. **e.** Wien – 5. 9. **f.** Tokio – 7. 8.

12.

> Ich muß zum Hauptbahnhof. Soll ich ein Taxi nehmen? –
> Nein, Sie können zu Fuß gehen.

a. ich – Hauptbahnhof – ein Taxi **b.** er – Rathaus – den Bus **c.** sie – Schloß-platz – ein Taxi **d.** wir – Flughafen – den Bus **e.** Eva – Arzt – die Straßen-bahn

13.

> Wo liegt Ihr Hotel? – Mein Hotel liegt direkt am Dom (direkt an der
> Weser, direkt am Rhein, direkt in der Innenstadt).

a. Ihr Hotel – Dom **b.** seine Wohnung – Weser **c.** Ihr Zimmer – Rhein
d. Ihr Restaurant – Innenstadt **e.** Ihr Büro – Hafen

14.

> Liegt Ihr Haus verkehrsgünstig? –
> Ja, in der Nähe ist eine Straßenbahnhaltestelle.

a. eine Straßenbahnhaltestelle **b.** der Hauptbahnhof **c.** die Taxizentrale
d. der Flughafen **e.** der Hafen

Der Olympiapark in München – eine Besichtigung

Meine Damen und Herren, dieser Fernsehturm ist fast so hoch wie der Eiffelturm in Paris. Er ist 190 Meter höher als die Frauenkirche, die Sie dort im Süden sehen. Mit 290 Metern ist er das höchste Gebäude der Bundesrepublik. Bei gutem Wetter können Sie von hier aus die Alpen sehen, die etwa 100 Kilometer entfernt sind. Das Zeltdach, das Sie im Westen sehen, ist das größte und teuerste Dach der Welt.

Bitte, wieviel sind 290 Meter? Ich bin Amerikaner.

Zweihundertneunzig Meter sind 951 Feet. Das Empire State Building in New York ist 381 Meter hoch. Also, das Zeltdach ist das größte und teuerste Dach der Welt. Es ist 75000 Quadratmeter groß.

Donnerwetter. Meine Wohnung hat nur sechzig Quadratmeter.

Ja, also das Dach ist 75000 Quadratmeter groß. So groß wie elf Fußballplätze.

Entschuldigung, ich habe nicht verstanden. Wie groß ist das Dach?

Woher sind Sie, meine Dame?

Aus Moskau.

Gut. Sie kennen doch den Roten Platz in Moskau. Dieses Dach ist halb so groß wie der Rote Platz. Darunter ist das Olympia-Stadion. Es faßt 80000 Personen, aber es ist nicht das größte Stadion der Bundesrepublik. Das Stadion in Berlin ist noch größer. Im Norden sehen Sie das Olympische Dorf. Dort haben damals etwa 12000 Menschen gewohnt.

Wem gehören die Wohnungen jetzt?

Es sind Privatwohnungen. Man konnte sie vor den Spielen kaufen.
Damals stand in den Zeitungen:
„Kaufen Sie sich eine Eigentumswohnung im Olympischen Dorf! Vielleicht
können Sie später einmal sagen: Bei mir hat ein Goldmedaillengewinner gewohnt."
Links neben dem Olympischen Dorf liegt die Pressestadt. Sie hatte etwa
6000 Einwohner, das heißt, dort haben 6000 Reporter und Journalisten gewohnt.
Übrigens, die Metallkonstruktion im Norden, etwa zwanzig Kilometer von
hier, ist das Atom-Ei. Das ist ein Forschungsreaktor. Dort im Osten, wo
jetzt gerade das Flugzeug startet, liegt der Flughafen München-Riem.
Und das moderne Gebäude hier vor uns ist die Verwaltung der Bayerischen
Motorenwerke. Das ist eine Automobilfabrik. Wenn Sie ein schnelles Auto
brauchen, kaufen Sie sich einen BMW. Aber sagen Sie niemand, daß ich
Ihnen das geraten habe. Ich darf keine Reklame machen.

1. wie groß? wie hoch? – so groß wie, so hoch wie

Wie groß ist das Dach?   – So groß wie elf Fußballplätze.
Wie hoch ist der Fernsehturm? – Fast so hoch wie der Eiffelturm.

2. schön, schöner, das schönste

schön   schöner das schönste Geschenk
klein   kleiner das kleinste Gebäude
teuer   teurer   der teuerste Wagen
groß   größer   die größte Wohnung
hoch   höher   das höchste Gebäude

3. höher als . . ., kleiner als . . .

Der Fernsehturm ist höher als die Frauenkirche.
Das Dach ist kleiner als der Rote Platz.

4. das höchste . . ., das größte . . .

die Bundesrepublik: das höchste Gebäude der Bundesrepublik
die Welt: das größte Dach der Welt

5. der . . ., der/den; die . . ., die

. . . der Fernsehturm, der im Olympiapark steht . . .
. . . das Dach,   das sehr teuer war . . .
. . . die Kirche,   die Sie dort sehen . . .

. . . die Alpen,   die 100 Kilometer entfernt sind . . .

. . . der Fernsehturm, den Sie dort sehen . . .

6. dürfen

ich (er/sie) darf   wir (sie, Sie) dürfen
du   darfst   ihr   dürft

7. dieser, dieses, diese

der Fernsehturm: Dieser Fernsehturm ist hoch.
das Dach: Dieses Dach ist groß.
die Kirche: Diese Kirche ist schön.

8.

raten   – er hat geraten   verstehen – er hat verstanden

1.

Wie groß ist Ihr Büro? – Etwa so groß wie meine Wohnung.

a. Wie groß ist Ihr Büro? (meine Wohnung) **b.** Wie teuer ist dieser Wagen? (ein Haus) **c.** Wie schnell ist dieser Zug? (ein Sportwagen) **d.** Wie groß ist dieses Dach? (zehn Fußballplätze)

2.

Wie hoch ist der Fernsehturm? – Zweihundert Meter. –
Dann ist er höher als die Kirche.

a. der Fernsehturm – 200 Meter – die Kirche **b.** das Gebäude – 30 Meter – mein Haus **c.** Ihre Miete – 250 Mark – meine Miete **d.** das Empire State Building – 381 Meter – der Eiffelturm

3.

Der rote Pullover ist schön. – Ja, aber der grüne ist noch schöner.

a. Der rote Pullover ist schön. (der grüne) **b.** Der große Wagen ist schnell. (der kleine) **c.** Deutsch 2000 ist interessant. (ein Krimi) **d.** Das weiße Kleid ist teuer. (das gelbe)

4.

> Wie groß ist das Dach? –
> So groß wie elf Fußballplätze. Es ist aber kleiner als der Rote Platz.

a. das Dach – elf Fußballplätze – der Rote Platz **b.** der Garten – ein Fußballplatz – das Stadion **c.** das Stadion in München – das (Stadion) in Stuttgart – das (Stadion) in Berlin **d.** die Pressestadt – ein Dorf – das Olympische Dorf

5.

> Wie schnell fliegen die Flugzeuge? –
> Das schnellste Flugzeug fliegt 3000 Stundenkilometer.

a. Wie schnell fliegen die Flugzeuge? (3000 km/h) **b.** Wie groß sind die Wohnungen? (150 m²) **c.** Wie hoch sind die Türme? (300 m) **d.** Wie teuer sind die Autos? (DM 20000,—)

6.

> Ist dieses Dach so groß wie der Rote Platz? –
> Nein, der Rote Platz ist größer.

a. dieses Dach – der Rote Platz **b.** dieser Platz – der Rote Platz **c.** dieses Stadion – das Stadion in Berlin **d.** diese Stadt – Stuttgart **e.** dieser Hafen – der Hamburger Hafen

7.

> Eva ist erst um 12 Uhr nach Hause gekommen. Darf sie das denn? –
> Natürlich nicht. Sagen Sie niemand, daß sie erst um 12 Uhr nach Hause gekommen ist.

a. Eva – erst um 12 Uhr nach Hause kommen **b.** Hans – in der Schule rauchen **c.** die Kinder – im Garten Fußball spielen **d.** Rolf – eine ganze Flasche Wein trinken **e.** Fritz – das Auto nehmen

8.

> Sehen Sie den Fernsehturm dahinten? Der steht im Olympiapark.
> Der Fernsehturm, den Sie dahinten sehen, steht im Olympiapark.

a. der Fernsehturm – steht im Olympiapark **b.** das Gebäude – steht am Hauptbahnhof **c.** die Kirche – steht in der Innenstadt **d.** das Auto – fährt in Richtung Salzburg

9.

> Bei gutem Wetter können Sie von hier aus die Alpen sehen, die etwa hundert Kilometer entfernt sind.

a. die Alpen – hundert Kilometer **b.** das Atom-Ei – zwanzig Kilometer **c.** der Fernsehturm – dreißig Kilometer **d.** die Frauenkirche – vierzig Kilometer

10.

> Der Ring ist das schönste Geschenk, das ich je bekommen habe.

a. der Ring – das schöne Geschenk – bekommen **b.** das Auto – das große Geschenk – bekommen **c.** der Fernsehturm – das hohe Gebäude – sehen **d.** die Pelzjacke – das teure Geschenk – kaufen **e.** das Dach – das große Dach – sehen

11.

> Dürfen wir im Garten spielen? –
> Ja, ihr dürft, aber zuerst räumt ihr euer Zimmer auf.

a. im Garten spielen – das Zimmer aufräumen **b.** zum Fußball gehen – die Hausaufgaben machen **c.** ins Museum fahren – dem Vater helfen **d.** fernsehen – den Brief zur Post bringen **e.** ins Kino gehen – Zigaretten holen

Finden Sie das richtig? – Eine Diskussion

Wir wollen heute über ein interessantes Buch diskutieren.
Hier steht:
1. Ein Lokführer der Bundesbahn verdient monatlich etwa 1200 Mark. Er hat die Verantwortung für viele Menschen. Trotzdem verdient er weniger als eine Stewardeß der Lufthansa, die im Flugzeug das Frühstück serviert.
2. Ein Polizist verdient etwa 800 Mark monatlich, also so viel wie eine Verkäuferin im Supermarkt.
Die Zahlen sind übrigens von 1969. – Ja, bitte, Barbara?
Ich finde es nicht richtig, daß eine Stewardeß mehr verdient als ein Lokführer. Ich möchte auch gern wissen, warum das so ist.
Was meinen Sie, Hans?
Vielleicht, weil Fliegen gefährlicher ist.
Das stimmt nicht. Das Flugzeug ist das sicherste Verkehrsmittel der Welt.
Ja, Manfred, was meinen Sie?
Ich sage meine Meinung sofort, aber vorher habe ich noch eine Frage. Wieviel verdient ein Flugkapitän der Lufthansa?
Das weiß ich nicht. Weiß jemand, wieviel ein Flugkapitän verdient?
Ich glaube, ich habe einmal gelesen, daß er zwischen 5000 und 7000 Mark bekommt.
Das stimmt wohl ungefähr. Also, Manfred?
Ich möchte den Lokführer mit dem Flugkapitän vergleichen. Die größten

Flugzeuge fassen etwa 400 Passagiere. So viele Passagiere sind doch auch in einem Zug, nicht wahr?

Das weiß ich nicht genau, aber ich nehme es an.

Gut. Warum verdient dann der Flugkapitän mehr als der Lokführer?

Vielleicht, weil ein Flugzeug teurer ist als ein Zug.

Das ist sicher richtig, aber es ist ein schlechtes Argument.

Sie sind also dagegen, daß ein Pilot mehr verdient als ein Lokführer?

Ja, ich bin dagegen.

Inge, was meinen Sie?

Ich bin dafür. Der Pilot braucht eine längere Ausbildung, und die kostet mehr Geld.

Richtig, das ist das Problem.

Er hat aber auch einen interessanteren Beruf.

Glauben Sie das?

Nein, das glaube ich nicht. Nehmen wir an, er fliegt von Frankfurt nach New York. Dort geht er ins Hotel, und am nächsten Tag fliegt er wieder zurück. Das ist nicht interessanter als eine Zugfahrt von München nach Hamburg.

Gut. Und die Polizisten?

Ich möchte wissen, ob es wahr ist, daß ein Polizist nur 800 Mark verdient.

Nun, ich habe schon gesagt, daß die Zahlen von 1969 sind. Neuere Zahlen habe ich nicht. Aber das Verhältnis stimmt noch.

Dann ist das die größte Ungerechtigkeit, die ich je gehört habe.

Sie meinen, daß die Polizei zuwenig verdient?

Ja. Der Staat muß den Polizisten höhere Gehälter zahlen.

Was meinen Sie?

1. ein schnelleres Auto

Er hat auch einen interessanteren Beruf (als ich).
Er hat auch ein schnelleres Auto (als ich).
Er hat auch eine längere Ausbildung (als ich).

Er zahlt auch höhere Gehälter (als wir).

2. mehr als, weniger als

Er verdient weniger als eine Stewardeß.
Er verdient mehr als ein Lokführer.

3. ob, warum, wieviel, was

Ich möchte wissen, ob	Ist die Maschine gestartet? die Maschine gestartet ist.
Ich möchte wissen, warum	Warum ist das so? das so ist.
Ich möchte wissen, wieviel	Wieviel verdient ein Flugkapitän? ein Flugkapitän verdient.
Ich möchte wissen, was	Was verdienen die Polizisten? die Polizisten verdienen.

4. Zahlen

200	201	300	800
zweihundert	zweihunderteins	dreihundert	achthundert
1000	1001	3000	8000
tausend	tausendeins	dreitausend	achttausend
10 000	100 000	1 000 000	
zehntausend	hunderttausend	eine Million	

1.

> Was wünschen Sie sich für das nächste Jahr? –
> Ich wünsche mir einen längeren Urlaub.

a. Sie (ein langer Urlaub) **b.** ihr (ein hohes Gehalt) **c.** du (ein interessanter Beruf) **d.** er (ein großes Auto) **e.** sie (eine große Wohnung)

2.

> Was sind Sie von Beruf? – Flugkapitän. – Dann haben Sie einen interessanteren Beruf als ich.
> Wie groß ist Ihre Wohnung? – 150 Quadratmeter. – Dann haben Sie eine größere Wohnung als ich.

a. Was sind Sie von Beruf? (Flugkapitän) **b.** Wie groß ist Ihre Wohnung? (150 m²) **c.** Wie schnell ist Ihr Auto? (160 km/h) **d.** Wie hoch ist Ihre Miete? (200 Mark) **e.** Wie hoch ist Ihr Gehalt? (3000 Mark)

3.

> Sind Sie dafür, daß eine Stewardeß mehr (weniger) verdient als ein Briefträger? – Ja, ich bin dafür. (Nein, ich bin dagegen.)

a. ein Briefträger **b.** eine Lehrerin **c.** ein Lokführer **d.** eine Sekretärin **e.** ein Polizist

4.

> Können Sie mir sagen, warum die Wirtschaft geschlossen ist? –
> Ja, weil Herr Neumann verreist ist.

a. Die Wirtschaft ist geschlossen. Herr Neumann ist verreist. **b.** Die Polizisten verdienen so wenig. Der Staat hat kein Geld. **c.** Die Studenten arbeiten in den Ferien. Ihre Ausbildung ist sehr teuer. **d.** Herr Meier ist nach Rüdesheim gefahren. Er wollte den neuen Wein probieren.

5.

> Wissen Sie, ob die Maschine nach Köln gestartet ist? –
> Ja, sie ist um 10 Uhr gestartet.

a. Die Maschine nach Köln ist um 10 Uhr gestartet. **b.** Herr Neumann hat sich einen neuen Sportwagen gekauft. **c.** Herr Meier war im Urlaub in Italien. **d.** Das Museum ist samstags geöffnet. **e.** Das Restaurant ist sonntags geschlossen. **f.** Die Straßenbahn fährt zum Schloßplatz.

6.

> Ich habe einmal gelesen, daß das Olympia-Stadion halb so groß ist wie der Rote Platz. Ich möchte gern wissen, ob das stimmt.

a. Das Olympia-Stadion ist halb so groß wie der Rote Platz. **b.** Der Fernsehturm ist fast so hoch wie der Eiffelturm. **c.** Eine Stewardeß verdient mehr als ein Polizist. **d.** An der Adria ist jeden Tag wunderbares Wetter. **e.** In der Bundesrepublik fährt man auf den Autobahnen sehr schnell.

7.

> Wo ist der Hauptbahnhof? Weiß das jemand?
> Weiß jemand, wo der Hauptbahnhof ist?

a. Wo ist der Hauptbahnhof? **b.** Warum kommt Herr Meier nicht? **c.** Wieviel verdient ein Flugkapitän? **d.** Was wünscht sich Renate? **e.** Warum fliegt die Maschine nicht?

8.

> Stimmt es, daß Hans sich ein neues Auto gekauft hat? –
> Ja, das habe ich ihm geraten.

a. Hans hat sich ein neues Auto gekauft. **b.** Eva verbringt ihren Urlaub in der Schweiz. **c.** Die Kinder arbeiten in den Ferien. **d.** Sie haben sich ein neues Auto gekauft. **e.** Frau Berg hat sich einen neuen Kühlschrank gekauft.

9.

> Hier steht, daß ein Polizist nur 800 Mark verdient. Wenn das stimmt,
> ist das die größte Ungerechtigkeit, die ich je gehört habe.

a. Ein Polizist verdient nur 800 Mark. **b.** Mädchen dürfen nicht studieren.
c. Frauen dürfen nicht Auto fahren. **d.** Kinder dürfen kein Eis essen.

10.

> Sagen Sie Ihre Meinung! Sind Sie dafür, daß die Studenten in den Ferien
> arbeiten? – Ja, ich bin dafür (Nein, ich bin dagegen), daß . . .

a. . . ., daß die Studenten in den Ferien arbeiten. **b.** . . ., daß man im Lotto
Geld gewinnen kann. **c.** . . ., daß ein Polizist weniger verdient als eine Stewardeß. **d.** . . ., daß ein Student Geld verdient.

11.

> Worüber wollen wir heute diskutieren? Über das Wetter? –
> Ja, das ist ein interessantes Problem. (Nein, das ist kein interessantes
> Problem.)

a. Wetter (nein) **b.** Sport (ja) **c.** Schule (nein) **d.** Beatmusik (ja) **e.** Arbeit
(nein) **f.** Mädchen (ja)

12.

> Herr Neumann verdient 5000 Mark im Monat. Trotzdem hat er kein
> Geld. Er kauft sich jedes Jahr einen neuen Wagen.
> Herr Neumann verdient 5000 Mark im Monat, aber er hat trotzdem kein
> Geld, weil er sich jedes Jahr einen neuen Wagen kauft.

a. Herr Neumann verdient 5000 Mark im Monat. Trotzdem hat er kein
Geld. Er kauft sich jedes Jahr einen neuen Wagen. **b.** Herr Meier hat ein
großes Haus. Trotzdem hat er keinen Platz. Er hat acht Kinder. **c.** Herr
Weiß verdient nicht viel. Trotzdem arbeitet er gern. Er hat einen interessan-
ten Beruf. **d.** Herr Neubauer hat nicht viel Zeit. Trotzdem fährt er nach
Bremen. Er will seinen Freund dort treffen.

Test 5

A. neuen (1) teure (2) schönes (3)
a. Die . . . Uhr ist schon kaputt. **b.** Er hat sich ein . . . Haus gebaut.
c. Haben Sie meinen . . . Wagen schon gesehen? **d.** Das ist ein . . .
Buch. **e.** Ich brauche einen . . . Anzug. **f.** Das ist eine . . . Pelzjacke.
g. Wir haben einen . . . Kühlschrank.

B. daß (1) wenn (2) wo (3) wann (4)
a. Sagen Sie mir . . . Sie wohnen. **b.** Ich weiß nicht, . . . das Rathaus
ist. **c.** Schreiben Sie mir, . . . Sie kommen. **d.** Schreiben Sie mir, . . .
Sie sich für das Zimmer interessieren. **e.** Er sagte, . . . sein Sohn heute
kommt. **f.** Ich muß erwähnen, . . . ich Akkordeon spiele. **g.** . . . schreiben Sie? **h.** Ich schreibe, . . . ich Zeit habe. **i.** Weißt du, . . . er kommt?
j. Ich weiß nicht, . . . sie wohnt.

C. für (1) wofür (2) dafür (3)
a. Gehen Sie oft ins Kino? . . . habe ich keine Zeit. **b.** . . . interessieren
sich Ihre Kinder? **c.** . . . wen soll ich den Tisch reservieren? **d.** . . . wann
soll ich das Ticket bestellen? **e.** . . . hatten Sie kein Geld? **f.** . . . hatten
Sie keine Zeit? **g.** Sind Sie auch nach Helgoland gefahren? . . . hatten
wir keine Zeit.

D. nach (1) durch (2)
a. Wir sind mit dem Taxi . . . die Stadt gefahren. **b.** Er hat eine Reise . . .
die ganze Welt gemacht. **c.** Fahren Sie morgen . . . Köln? **d.** Fahren
Sie . . . die Innenstadt? **e.** Er fuhr mit dem Motorrad . . . die halbe
Bundesrepublik.

E. ob (1) warum (2) was (3)
a. Fragen Sie, . . . die Maschine schon gelandet ist. **b.** Fragen Sie, . . .
er mir mitgebracht hat. **c.** Ich weiß, . . . er nicht kommt. **d.** Schreiben
Sie mir, . . . Sie das Zimmer nehmen. **e.** . . . hat er denn angerufen?
f. . . . hast du dir heute gekauft?

F. weniger als (1) mehr als (2) höher als (3)
a. Die Kirche ist 100 m hoch und der Fernsehturm 200 m. Dann ist der
Fernsehturm . . . die Kirche. **b.** Ich verdiene 1000 Mark. Thomas ver-

dient 2000 Mark. Er verdient . . . ich. **c.** Ich verdiene 1500 Mark und soll 1600 Mark Miete zahlen. Die Miete ist ja . . . mein Gehalt. **d.** Fritz raucht jeden Tag 30 Zigaretten. Ich rauche nicht soviel. Ich rauche . . . er.

G. hingeschickt (1) mitgebracht (2) hergebracht (3)
   a. Was wollte Fräulein Heim? Sie hat den Schlüssel . . . **b.** Wir haben den Kindern aus Spanien eine Gitarre . . . **c.** Hat Herr Fuchs meinen Brief schon? Ja, ich habe ihn gestern . . . **d.** Kann Hans meinen Wagen aus der Werkstatt holen? Ja, ich habe ihn schon . . . **e.** Du wolltest mir doch ein interessantes Buch geben. Ja, ich habe es dir . . .

H. interessanteren (1) schönere (2) größeres (3)
   a. Sie haben einen . . . Beruf als ich. **b.** Er hat ein . . . Haus als ich. **c.** Ich möchte gern eine . . . Wohnung. **d.** Nächstes Jahr brauche ich ein . . . Büro. **e.** Meine Frau will ein . . . Auto kaufen. **f.** Einen . . . Krimi gibt es nicht. **g.** Ich habe noch nie eine . . . Stadt gesehen. **h.** Nein, ein . . . Zimmer haben wir nicht.

I. deshalb (1) warum (2) weil (3)
   a. Ich bin Student, . . . bin ich auf ein billiges Zimmer angewiesen. **b.** Ich brauche ein billiges Zimmer, . . . ich kein Geld habe. **c.** Ich wollte ihn anrufen, aber es hat sich niemand gemeldet. . . . schreibe ich ihm jetzt. **d.** Hat er gesagt, . . . sich niemand gemeldet hat? **e.** Ja, . . . sein Telefon kaputt war.

Im Konzert

Am Freitagabend ging Herr Kreuzer pünktlich nach Hause. Er hatte eine Eintrittskarte für das Konzert und freute sich auf die Neunte Sinfonie. Er aß schnell ein Butterbrot, zog einen dunklen Anzug an und fuhr mit der U-Bahn in die Stadt. Am Eingang zum Konzertsaal kaufte er sich ein Programm und nahm in der siebten Reihe Platz. Während die Musiker auf die Bühne kamen und ihre Instrumente stimmten, las er das Programm. Der erste Teil war uninteressant. Er kannte die Komponisten nicht. Neue Musik, dachte er, na ja, das geht auch vorbei. Herr Kreuzer fand moderne Musik gräßlich. Er sah sich im Saal um, der jetzt voll besetzt war. Die Lichter gingen aus, der Dirigent kam herein. Das Publikum applaudierte. Es ging los. Tatsächlich, das erste Stück war laut und atonal, und das zweite war auch nicht besser. Herr Kreuzer schloß die Augen und dachte an seine Steuererklärung. In der Pause trank er ein Glas Sekt.

Als es dreimal geklingelt hatte, saß er wieder auf seinem Platz. Jetzt kam die Neunte Sinfonie von Beethoven. Herr Kreuzer kannte sie genau. Er pfiff das Thema immer, wenn er sonntags in der Badewanne saß. Als der Dirigent den Stab hob, sah Herr Kreuzer in der ersten Reihe einen Mann, den er kannte. Aber wer war das? Kreuzer dachte nach. Wie hieß der Mann? War es ein Politiker, den er nicht leiden konnte? Oder der Autofahrer, den er neulich beschimpft hatte? Oder der Polizist, der ihn neulich verwarnt hatte? Kannte er ihn von der Universität? Nein. Der Name fiel ihm nicht ein. Aber er kannte den Mann. Das stand fest. Und der Mann hatte etwas

132

mit Geld zu tun. War es der Elektriker, dem er noch eine Rechnung schuldete? Nein, der war es nicht. Oder der Mann, der ihm neulich einen Gebrauchtwagen verkauft hatte, der jetzt schon kaputt war? Nein, der war es auch nicht. Den Betrüger kannte er ganz genau. Plötzlich applaudierte das Publikum. Der Dirigent verbeugte sich. Die Neunte Sinfonie war vorbei. Als Kreuzer zum Ausgang ging, stand der Mann plötzlich an der Tür. „Guten Abend", sagte er, „wir kennen uns doch. Sie waren neulich im Finanzamt". Richtig, es war der Finanzbeamte.

1. Es hatte geklingelt

Es hatte geklingelt.
Er hatte den Autofahrer beschimpft.
Der Polizist hatte ihn verwarnt.
Er hatte einen Wagen verkauft.

2. anziehen, denken, finden, heben, heißen, kennen

ich (er/sie)	zog an	dachte	fand	hob	hieß	kannte
wir (sie, Sie)	zogen an	dachten	fanden	hoben	hießen	kannten

lesen, nehmen, pfeifen, schließen, sitzen, sich umsehen

ich (er/sie)	las	nahm	pfiff	schloß	saß	sah sich um
wir (sie, Sie)	lasen	nahmen	pfiffen	schlossen	saßen	sahen sich um

einfallen, feststehen

Der Name fiel ihm nicht ein.	Das stand fest.

3. während, als

Während	Die Musiker kamen auf die Bühne. die Musiker auf die Bühne kamen, las er ...
Als	Es hatte geklingelt. es geklingelt hatte, saß er ...

4. der ..., der/den/dem

... der Saal,	der voll besetzt war.
... die Verkäuferin,	die ihm den Pullover verkauft hat.
... der Mann,	den er kannte.
... die Studentin,	die ich getroffen habe.
... der Elektriker,	dem er Geld schuldete.
... die Dame,	der Sie geschrieben haben.

5. gut – besser

Das erste Stück war gut. Das zweite Stück war besser.

1.

Kannten Sie diese Straße? –
Nein, aber mein Freund hatte mir einen Stadtplan geschickt.

a. Kannten Sie diese Straße? (mein Freund hatte mir einen Stadtplan geschickt) **b.** Kannte er den Komponisten? (ich hatte ihm ein Programm gegeben) **c.** Kannten Sie Frau Meyerdierks? (sie hatte mir einen Brief geschrieben) **d.** Kanntest du den Politiker? (ich hatte ihn bei der Diskussion getroffen)

2.

Konnten Sie das Haus bezahlen? – Natürlich, ich hatte sehr viel Geld gespart. Ja, weil ich sehr viel Geld gespart hatte.

a. Konnten Sie das Haus bezahlen? (ich hatte sehr viel Geld gespart) **b.** Konnte er das Buch lesen? (er hatte Französisch gelernt) **c.** Konnte sie das Auto bezahlen? (sie hatte vorher ihre Pelzjacke verkauft) **d.** Konnten Sie die Straße leicht finden? (wir hatten im Stadtplan nachgesehen) **e.** Konnten Sie das Ticket bezahlen? (ich hatte in den Ferien Geld verdient)

3.

> Ich ging zu Fuß ins Büro. Mein Auto war kaputt.
> Ich ging zu Fuß ins Büro, weil mein Auto kaputt war.

a. Ich ging zu Fuß ins Büro. Mein Auto war kaputt. **b.** Er fuhr mit der U-Bahn in die Stadt. Sein Taxi kam nicht. **c.** Sie aß schnell ein Butterbrot. Sie hatte wenig Zeit. **d.** Ich dachte an meine Steuererklärung. Ich fand die Musik gräßlich. **e.** Sie zog ihre weiße Pelzjacke an. Sie wollte ins Theater. **f.** Wir lasen das Programm. Wir kannten die Komponisten nicht. **g.** Er freute sich auf das Konzert. Er kannte die Sinfonie gut. **h.** Ich kaufte mir einen Stadtplan. Ich kannte die Stadt nicht.

4.

> Wie hieß der Herr? – Ich weiß es nicht, aber Herr Fuchs kennt ihn.

a. der Herr – Herr Fuchs **b.** die Dame – Frau Neumann **c.** der Student – mein Bruder **d.** der Dirigent – Herr Kreuzer

5.

> Wie fanden Sie die Diskussion? –
> Ich fand sie sehr interessant.

a. Wie fanden Sie die Diskussion? (sehr interessant) **b.** Wie fand er das neue Auto? (ziemlich teuer) **c.** Wie fanden sie den Komponisten? (uninteressant) **d.** Wie fand sie das Stück? (gräßlich)

6.

> Herr Kreuzer las das Programm. Die Musiker kamen auf die Bühne.
> Während Herr Kreuzer das Programm las, kamen die Musiker auf die Bühne.

a. Herr Kreuzer las das Programm. Die Musiker kamen auf die Bühne. **b.** Das Taxi wartete. Fräulein Heim suchte das Ticket. **c.** Wir spielten Klavier. Mein Vater sah fern. **d.** Wir telefonierten. Unsere Gäste kamen.

7.

> Es klingelte an der Tür. Eva war noch nicht fertig.
> Als es an der Tür klingelte, war Eva noch nicht fertig.

a. Es klingelte an der Tür. Eva war noch nicht fertig. **b.** Der Dirigent hob den Stab. Herr Kreuzer sah sich um. **c.** Die Sinfonie war vorbei. Herr Kreuzer ging zum Ausgang. **d.** Die Besprechung war vorbei. Manfred räumte das Konferenzzimmer auf.

8.

> Ich kenne den Mann. Das steht fest.
> Es steht fest, daß ich den Mann kenne.

a. Ich kenne den Mann. **b.** Wir fahren dieses Jahr nach Italien. **c.** Die Polizisten verdienen zu wenig. **d.** Der Staat muß die Polizisten besser bezahlen. **e.** Ein Lokführer hat eine große Verantwortung.

9.

> Als ich im Zug saß, fiel mir ein, daß ich meinen Paß vergessen hatte.

a. Ich saß im Zug. (mein Paß) **b.** Wir saßen im Restaurant. (unsere Theaterkarten) **c.** Er saß im Taxi. (sein Geld) **d.** Die Musiker saßen im Flugzeug. (ihre Instrumente) **e.** Herr Kreuzer saß in der Badewanne. (seine Steuererklärung)

10.

> Den Herrn kenne ich, aber ich habe seinen Namen vergessen.
> Der hat etwas mit dem Flughafen zu tun.

a. Der Herr hat etwas mit dem Flughafen zu tun. **b.** Der Mann hat etwas mit dem Rathaus zu tun. **c.** Die Dame hat etwas mit dem Theater zu tun. **d.** Die Frau hat etwas mit der Verwaltung zu tun. **e.** Der Herr hat etwas mit Geld zu tun. **f.** Die Dame hat etwas mit Musik zu tun.

11.

> Ist das der Elektriker, dem Sie noch eine Rechnung schulden? –
> Nein, das ist der Politiker, den ich nicht leiden kann.

a. . . . der Elektriker, dem Sie noch eine Rechnung schulden? (der Politiker, den ich nicht leiden kann) **b.** . . . der Herr, dem Sie den Whisky gebracht haben? (der Polizist, den ich gestern beschimpft habe) **c.** . . . der Journalist, dem Sie einen Gebrauchtwagen verkauft haben? (der Reporter, den ich für heute abend eingeladen habe) **d.** . . . die Dame, der Sie einen Brief geschrieben haben? (die Verkäuferin, die mir den Pullover verkauft hat) **e.** . . . die Dame, der Sie die Theaterkarte geschenkt haben? (die Studentin, die ich gestern bei der Diskussion getroffen habe)

12.

> Herr Kreuzer sah sich um. Der Saal war jetzt voll besetzt.
> Herr Kreuzer sah sich im Saal um, der jetzt voll besetzt war.

a. Herr Kreuzer – der Saal **b.** Herr Kühn – das Restaurant **c.** Dieter – das Stadion **d.** Brigitte – der Bus **e.** Hans – das Flugzeug

13.

> Ihr Fernseher ist kaputt, und Sie rufen den Kundendienst an. Was sagen Sie, und was antwortet der Mann?

a. Hier ist . . .; mein Fernseher . . .; können Sie . . .? **b.** Wann brauchen . . .? **c.** . . . das Fußballspiel heute abend. **d.** Augenblick, da . . . in der Werkstatt . . . **e.** Wie lange . . .? **f.** Noch nicht lange . . .; noch . . . **g.** Also gut, . . . heute nachmittag. Können Sie . . .? **h.** Leider nicht. . . . kein Auto. **i.** Dann . . . wir zu Ihnen. **j.** . . . um 4 Uhr zu Hause? **k.** Ja. Vielen Dank. Auf Wiederhören.

Haben Sie ein Hobby?

Entschuldigen Sie, können Sie mir ein paar Fragen beantworten?
Ja, bitte, was wollen Sie denn wissen?
Wissen Sie, was ein Hobby ist?
Ja natürlich, eine Freizeitbeschäftigung. Zum Beispiel Sport oder Briefmarken sammeln oder Fotografieren.
Richtig. Haben Sie ein Hobby?
Ich? Nee. Ich habe nämlich keine Freizeit. Wenn ich abends nach Hause
komme, fängt die Arbeit erst richtig an. Dann kommt mein Sohn und fragt,
ob ich ihm helfen kann, weil er in Mathematik so schlecht ist. Wenn ich das
gemacht habe, muß ich mit dem Hund spazierengehen. Und meine Frau
hat auch immer ein paar Wünsche. Gestern hat sie gefragt, ob ich den Rasen
schneiden kann. Heute wollte sie wissen, wann ich das Garagentor streiche
und ob ich den Zaun reparieren kann. Sie kennen das ja. Wenn ich das alles
gemacht habe, bin ich müde. Nee, tut mir leid. Für ein Hobby habe ich
keine Zeit.
Spielen Sie Karten?
Natürlich. Ich spiele jede Woche einmal Skat und einmal Doppelkopf.
Gehen Sie zum Fußball?
Na klar. Ich war früher bei Hannover 96. Da war ich noch ein bißchen
jünger und schlanker, wissen Sie. Aber wenn Hannover spielt, gehe ich natürlich hin. Ich muß doch sehen, ob die Mannschaft noch so gut ist wie
früher. Wir waren nämlich prima. Wenn Sie mal die Fotos von damals

sehen wollen, die kann ich Ihnen gern zeigen. Aber ich weiß nicht, ob Sie sich für Fußball interessieren.

Doch, doch, natürlich. Kegeln Sie auch?

Ja sicher. Das hält jung. Wenn ich meinen Kegelabend versäume, bin ich immer ganz sauer. Fragen Sie mal, ob es hier in der Gegend einen besseren Kegelclub gibt. Wenn Sie sich für Kegeln interessieren, können Sie ja mal mitkommen.

Ja, ja, vielen Dank. Vielleicht gelegentlich einmal. Ich verstehe sehr gut, daß Sie keine Zeit für Hobbies haben.

1. wenn

	Sie wollen die Fotos sehen.
Wenn	Sie die Fotos sehen wollen, . . .

	Sie interessieren sich für Kegeln.
Wenn	Sie sich für Kegeln interessieren, . . .

	Ich habe die Arbeit gemacht.
Wenn	ich die Arbeit gemacht habe, . . .

2. ob

		Ich kann ihm helfen.
Er fragt,	ob	ich ihm helfen kann.

		Ich kann den Rasen schneiden.
Sie fragt,	ob	ich den Rasen schneiden kann.

3. jung – jünger

Klaus ist jung.	Martina ist jünger.
Sport hält jung.	Damals war er noch jünger.

4.

a. der Pullover – die Pullover
der Einwohner – die Einwohner
das Mädchen – die Mädchen
das Gebäude – die Gebäude

b. der Mantel – die Mäntel

c. der Tag – die Tage
das Jahr – die Jahre

der Platz – die Plätze
der Wunsch – die Wünsche

d. das Kind – die Kinder
das Haus – die Häuser
die Tochter – die Töchter

e. der Student – die Studenten
die Schule – die Schulen
die Zeitung – die Zeitungen
die Briefmarke – die Briefmarken

f. der Krimi – die Krimis
das Auto – die Autos
das Foto – die Fotos

1.

> Ich möchte gern die Fotos sehen. – Dann müssen Sie mich vorher anrufen.
> Wenn Sie die Fotos sehen wollen, müssen Sie mich vorher anrufen.

a. Ich möchte gern die Fotos sehen. Dann müssen Sie mich vorher anrufen. **b.** Ich möchte gern das Museum besichtigen. Dann müssen Sie hier Karten kaufen. **c.** Ich möchte schnell zum Flughafen. Dann müssen Sie jetzt ein Taxi bestellen. **d.** Ich möchte gern ein schönes Kleid kaufen. Dann müssen Sie in die Stadt fahren. **e.** Ich möchte schnell etwas essen. Dann müssen Sie in dieses Restaurant gehen. **f.** Ich möchte gern am Tegernsee Urlaub machen. Dann müssen Sie jetzt ein Zimmer bestellen. **g.** Ich möchte gern einen Gebrauchtwagen kaufen. Dann müssen Sie die Anzeigen in der Zeitung lesen.

2.

> Ich interessiere mich für Fußball. – Gehen Sie doch mit ins Stadion.
> Wenn Sie sich für Fußball interessieren, gehen Sie doch mit ins Stadion.

a. Ich interessiere mich für Fußball. Gehen Sie doch mit ins Stadion. **b.** Wir interessieren uns für Krimis. Kaufen Sie sich doch einen Fernseher. **c.** Ich interessiere mich für Musik. Gehen Sie doch mit ins Konzert. **d.** Ich interessiere mich für Französisch. Fahren Sie doch mit nach Genf. **e.** Ich interessiere mich für Kegeln. Gehen Sie doch heute abend mit.

3.

> Haben Sie Zeit? Ich zeige Ihnen gern die Stadt.
> Wenn Sie Zeit haben, zeige ich Ihnen gern die Stadt.

a. Haben Sie Zeit? Ich zeige Ihnen gern die Stadt. **b.** Hat Brigitte Zeit? Ich zeige ihr gern den Olympiapark. **c.** Hat Herr Fischer Zeit? Ich zeige ihm gern mein neues Büro. **d.** Haben die Kinder Zeit? Ich zeige ihnen gern das Stadion. **e.** Hast du Zeit? Ich zeige dir gern unser Museum.

4.

> Fräulein Heim muß einen Brief schreiben und die Werkstatt anrufen.
> Wenn sie den Brief geschrieben hat, muß sie die Werkstatt anrufen.

a. Fräulein Heim muß einen Brief schreiben und die Werkstatt anrufen. **b.** Manfred muß den Damen das Frühstück bringen und das Konferenzzimmer aufräumen. **c.** Herr Neubauer muß den Zaun reparieren und das Gartentor streichen. **d.** Fritz muß seine Hausaufgaben machen und mit dem Hund spazierengehen. **e.** Eva muß einkaufen und das Abendessen machen.

5.

> Haben Sie ein Hobby?
> Er wollte wissen, ob ich ein Hobby habe.

a. Haben Sie ein Hobby? **b.** Spielen Sie Fußball? **c.** Haben Sie eine Familie? **d.** Haben Sie ein Haus? **e.** Haben Sie ein Auto? **f.** Sprechen Sie Deutsch? **g.** Können Sie Klavier spielen? **h.** Rauchen Sie?

6.

> Kannst du mir helfen? (mein Sohn)
> Mein Sohn fragt jeden Abend, ob ich ihm helfen kann.

a. Kannst du mir helfen? (mein Sohn) **b.** Kannst du mir in der Küche helfen? (meine Frau) **c.** Kannst du mir die Zeitung holen? (meine Tochter) **d.** Kannst du mir in der Werkstatt helfen? (mein Freund)

7.

> Es interessiert mich, ob die Mannschaft noch so gut ist wie früher. –
> Na klar, die ist noch besser als früher.

a. Die Mannschaft ist noch so gut wie früher. **b.** Der Park ist noch so schön wie früher. **c.** Die Stadt ist noch so interessant wie früher. **d.** Die Kinder sind noch so laut wie früher. **e.** Die Mädchen sind noch so schön wie früher.

8.

> Glauben Sie, daß die Welt früher besser war? –
> Nein, die war früher auch nicht besser.

a. War die Welt früher besser? **b.** War das Essen früher billiger? **c.** War der Urlaub früher teurer? **d.** Waren die Kinder früher lauter? **e.** Waren die Mädchen früher schöner?

9.

> Beantworten Sie diese Fragen!
> Wenn Sie eine Frage nicht beantworten können, fragen Sie Ihren Lehrer.

a. Woher sind Sie? **b.** Wie alt sind Sie? **c.** Sind Sie Student (Studentin)? **d.** Wo wohnen Ihre Eltern? **e.** Wo gehen Sie zur Schule (Wo studieren Sie)? **f.** Waren Sie schon einmal im Ausland? **g.** Wo? **h.** Spielen Sie ein Instrument? **i.** Spielen Sie Klavier? **j.** Spielen Sie Gitarre? **k.** Haben Sie einen Fernseher? **l.** Haben Sie ein Auto? **m.** Wie fahren Sie zur Arbeit (Motorrad, Auto, Bus, Taxi, Zug)? **n.** Haben Sie Freunde im Ausland?

10.

> Ihr Freund aus der Bundesrepublik ist angekommen. Sie begrüßen ihn am Flughafen. Während Sie im Taxi zu Ihrer Wohnung fahren, zeigen Sie ihm die Stadt. Er fragt: Ist das eine Kleinstadt oder eine Großstadt?

a. Ist das eine Kleinstadt oder eine Großstadt? **b.** Wie viele Einwohner hat sie denn? **c.** Ich glaube, es ist eine schöne Stadt. Habt ihr viele Parks und große Plätze? **d.** Das Gebäude dahinten ist sehr modern. Habt ihr viele moderne Gebäude? **e.** Wie viele Schulen gibt es hier? **f.** Habt ihr auch eine Universität? (Wo ist denn die nächste Universität? Wie viele Studenten hat sie?) **g.** Gibt es hier große Fabriken und Kaufhäuser? **h.** Gibt es auch Fußballplätze oder ein Stadion? **i.** Zeigst du mir morgen die Innenstadt? **j.** Können wir das Museum besichtigen? **k.** Ich möchte gern eine Fabrik besichtigen. Geht das? **l.** Wie viele Zeitungen habt ihr? **m.** Ist das Leben hier teuer? **n.** Was kostet eine Zweizimmerwohnung? **o.** Wieviel verdient ein Polizist?

Ein Besuch im Deutschen Museum

Das Deutsche Museum in München ist ein Museum für Naturwissenschaften und Technik. Hier kann man die ersten Autos und den modernsten Wankelmotor besichtigen, die ältesten Flugzeuge und das erste Düsentriebwerk, aber auch alte Musikinstrumente und die ersten Telefone. In der Abteilung „Fahrzeuge" treffen wir eine Touristengruppe mit ihrem Führer. Sie haben sich gerade den Prunkwagen angesehen, der König Ludwig von Bayern gehörte. Jetzt stehen sie vor dem berühmten Benz-Motorwagen von 1886. „Gibt es hier eigentlich nur deutsche Erzeugnisse?" möchte ein Tourist wissen.

„Oh nein. Sehen Sie, da drüben steht der berühmte Ford Modell T, der lange Zeit das erfolgreichste Auto der Welt war. Später war dann der Volkswagen noch erfolgreicher. Und hier ist ein Peugeot von 1904 und ein Lancia von 1925. Da drüben ist die Rennwagen-Abteilung. Dieser Mercedes-Benz von 1938 läuft 433 Stundenkilometer."

Die Gruppe geht weiter zur Flugzeug-Abteilung. Unter der Decke hängt das Gleitflugzeug von Otto Lilienthal. Darunter steht ein Fokker-Doppeldecker von 1918.

„Diese Maschine sieht aus wie ein modernes Düsenflugzeug."

„Das stimmt. Es ist die erste Düsenmaschine der Welt, eine Messerschmitt 262. Und dieses Flugzeug ist eine Junkers, eine Ju 52, ein sehr sicheres Flug-

zeug mit drei Motoren. Sie war lange die wichtigste Verkehrsmaschine der Lufthansa. Diese Maschine hier gehörte übrigens Frankreich. Der französische Staat hat sie dem Deutschen Museum verkauft."

„Wieviel hat sie gekostet?"

„Raten Sie mal!"

„Das kann ich nicht. Ich weiß, daß moderne Flugzeuge viele Millionen kosten, aber ich weiß nicht, was alte Modelle kosten."

„Also, diese Maschine hat einen Franc gekostet."

„Was? Das ist aber billig!"

„Allerdings. Die Maschine ist ein Geschenk der französischen Regierung."

1. vor dem berühmten Motorwagen

Da steht der berühmte Benz-Motorwagen.

Sie stehen vor dem berühmten Benz-Motorwagen.
Sie stehen vor dem schnellsten Rennwagen der Welt.

Er verkauft die Maschine dem Deutschen Museum.

2. ein altes Modell, alte Modelle

Hier sehen Sie ein altes Modell.
Hier kann man alte Modelle besichtigen.
Hier kann man alte Musikinstrumente besichtigen.

3.

alt – älter – das älteste Flugzeug

1.

Kennen Sie den Wagen da drüben? –
Natürlich, das ist doch der berühmte Ford.

a. Ford (berühmt) **b.** Volkswagen (erfolgreich) **c.** Lancia (schnell) **d.** Rolls Royce (teuer) **e.** Peugeot (modern)

2.

Ja, ich weiß, wo die Touristen sind. Sie stehen vor dem Deutschen Museum.

a. das Deutsche Museum **b.** der neue Fernsehturm **c.** der alte Rennwagen **d.** der neue Wankel-Motor **e.** der berühmte Ford **f.** das alte Rathaus **g.** der neue Bahnhof **h.** das teure Restaurant **i.** das große Hotel

3.

> Und hier, meine Damen und Herren, stehen Sie vor dem höchsten Ge-
> bäude der Bundesrepublik.

a. das höchste Gebäude (die Bundesrepublik) **b.** das älteste Telefon (die
Welt) **c.** das wichtigste Flugzeug (die Lufthansa) **d.** der schnellste Rennwagen (die Welt) **e.** der größte Park (die Stadt)

4.

> Die französische Regierung hat uns ein Flugzeug geschenkt.
> Woher haben Sie das Flugzeug? –
> Das hat uns die französische Regierung geschenkt.

a. Die französische Regierung hat uns ein Flugzeug geschenkt. **b.** Mein
Bruder hat mir eine Gitarre geschenkt. **c.** Mein Vater hat ihnen ein Klavier
geschenkt. **d.** Ich habe ihr einen Sportwagen geschenkt. **e.** Wir haben ihnen
ein Buch geschenkt.

5.

> Sie haben eine schöne Handtasche.
> Wieviel hat die gekostet?
> Raten Sie mal, wieviel die gekostet hat!

a. eine schöne Handtasche **b.** ein schönes Kleid **c.** ein schnelles Auto
d. ein großes Haus **e.** einen neuen Anzug **f.** ein neues Klavier **g.** eine moderne Pelzjacke

6.

> Sehen Sie da drüben das alte Flugzeug? –
> Ja, aber ich interessiere mich nicht für alte Flugzeuge.

a. das alte Flugzeug **b.** das schnelle Auto **c.** die teure Pelzjacke **d.** das
moderne Haus **e.** das neue Gebäude **f.** die alte Frau **g.** der berühmte Politiker

7.

> Gibt es hier nur deutsche Erzeugnisse? –
> Nein, dieser Volkswagen ist ein deutsches (Erzeugnis), aber der Peugeot ist ein französisches Erzeugnis.

a. Volkswagen (deutsch) – Peugeot (französisch) **b.** Lancia (italienisch) – Rolls Royce (englisch) **c.** Ford (amerikanisch) – Moskwitsch (russisch)

8.

> Von wann sind diese Autos? – Der Peugeot ist von 1942.

a. Peugeot (1942) **b.** Mercedes (1938) **c.** Volkswagen (1939) **d.** Rolls Royce (1969) **e.** Lancia (1932) **f.** Ford (1954)

9.

> Von wann sind diese Flugzeuge? – Die Junkers ist von 1936.

a. Junkers (1936) **b.** Boeing (1972) **c.** Caravelle (1968) **d.** Iljuschin (1964) **e.** Trident (1971)

10.

> Dieses Gebäude sieht aus wie eine Fabrik. –
> Ja, das ist eine Schuhfabrik.
> Dieses Gebäude sieht aus wie ein Rathaus. –
> Nein, das ist ein Privathaus.

a. Fabrik – Schuhfabrik **b.** Rathaus – Privathaus **c.** Fabrik – Automobilfabrik **d.** Schule – Theater **e.** Konzertsaal – Kaufhaus

11.

> Wem gehört diese Handtasche? – Ich glaube, meiner Freundin.

a. Handtasche – Freundin **b.** Gitarre – Bruder **c.** Flasche Whisky – Vater **d.** Briefmarke – Mutter **e.** Pfeife – Herr Fischer

12.

> Wie finden Sie dieses Buch? –
> Ich finde es sehr interessant, aber was kostet es denn?

a. Buch (interessant) **b.** Klavier (schön) **c.** Modell (modern) **d.** Zimmer (klein) **e.** Haus (groß)

13.

> Wie alt ist dieser Wagen? –
> Ich weiß es nicht genau, aber es ist der älteste Wagen der Welt.

a. Wagen (alt) **b.** Turm (hoch) **c.** Park (groß) **d.** Motor (teuer) **e.** Museum (groß) **f.** Maschine (schnell)

14.

> Ich nehme an, Sie wollen studieren, Herr Weiß. –
> Ja, wenn das Geld reicht, möchte ich Mathematik studieren.

a. Mathematik **b.** Deutsch **c.** Englisch **d.** Naturwissenschaften **e.** Technik **f.** Musik **g.** Sport **h.** Italienisch **i.** Russisch **j.** Französisch

15.

> Haus oder Wohnung?

Hans und Eva diskutieren über das Thema „Haus oder Wohnung". Ich möchte ein großes Haus haben, sagt Hans, mit zehn Zimmern. Ich brauche einen Hobbyraum, ein Arbeitszimmer, ein Musikzimmer und ein Schlafzimmer. Eva braucht ein Schlafzimmer, ein Gästezimmer und ein kleines Wohnzimmer. Das sind sieben Zimmer. Und wenn wir Kinder haben, brauchen wir noch zwei Kinderzimmer und ein Spielzimmer. Also zehn Zimmer. Ein großes Haus ist schöner als eine Wohnung. Und teurer, sagt Eva. Und wer macht die Arbeit? Ich natürlich. Nein, du bekommst ein Hausmädchen. Und wer bezahlt das alles? Ja, siehst du, sagt Hans, deshalb wohnen wir ja noch in dieser Zweizimmerwohnung.

Was würden Sie tun, wenn Sie Politiker wären? 24 A

Bitte, was würden Sie tun, wenn Sie Politiker wären?
Ich würde die Flugzeuge abschaffen, weil sie zuviel Lärm machen. Ich wohne nämlich am Flughafen und kann überhaupt nicht mehr schlafen.
Und wenn Sie einmal verreisen wollen, zum Beispiel nach Buenos Aires oder nach Tokio, würden Sie dann zu Fuß gehen?
Natürlich nicht. Ich würde eine schöne Schiffsreise machen.
Gut, wenn Sie soviel Zeit haben!
Ich würde die Autos verbieten, damit man wieder atmen kann. Natürlich weiß ich nicht, ob das geht, weil es in den Städten noch zu wenig U-Bahnen gibt.
Ich würde die Grenzen abschaffen, damit man reisen kann, wohin man will.
Schön, aber dann brauchen Sie viel Zeit, weil Ihre Kollegen gerade die Flugzeuge und die Autos abgeschafft haben.
Ach so, stimmt ja. Dann würde ich erst einmal schnelle, saubere und leise Eisenbahnen bauen.
Ich würde die Währungen abschaffen, damit es auf der Welt nur noch ein Geldsystem gibt. In der Schule war ich immer schlecht in Mathematik. Ich habe immer Schwierigkeiten, wenn ich Mark in Dollar, Rubel, Pfund, Francs oder Peseten umrechnen muß.
Und ich würde die Regierungen abschaffen.
Wie bitte?
Ich würde die Regierungen abschaffen.

Und warum?

Nun, sehen Sie sich einmal die Weltgeschichte an. Finden Sie es vielleicht richtig, daß sich die Menschen gegenseitig umbringen?

Nein, wirklich nicht. Aber wie wollen Sie das ändern?

Ich würde eine Weltregierung gründen.

Eine gute Idee. Leider ist sie nicht neu. Das haben schon viele Philosophen gesagt.

Es interessiert mich nicht, ob die Idee neu ist. Hauptsache, sie ist gut.

24 B

1. ich wäre

Wenn ich (er/sie)	Politiker wäre ...
Wenn du	Politiker wärst ...
Wenn wir (sie, Sie)	Politiker wären ...
Wenn ihr	Politiker wärt ...

2. ich würde

Ich (er/sie)	würde	die Flugzeuge abschaffen.
Du	würdest	die Währungen abschaffen.
Wir (sie, Sie)	würden	die Grenzen abschaffen.
Ihr	würdet	die Regierung abschaffen.

3. damit, wohin

Ich würde die Autos verbieten,	damit	Man kann wieder atmen. man wieder atmen kann.

Er kann reisen,	wohin	Wohin will er? er will.

151

4. zuviel – soviel

Das macht zuviel Lärm.
Ich habe nicht soviel Zeit.

5.

gut – besser – das beste Buch

1.

> Würden Sie die Flugzeuge abschaffen, wenn Sie Politiker wären? –
> Natürlich nicht, weil Politiker viel reisen müssen.

a. Flugzeuge (Politiker müssen viel reisen) **b.** Autos (ich habe mir gerade einen Sportwagen gekauft) **c.** Schulen (meine Kinder sollen etwas lernen) **d.** Regierung (ich bin selbst Politiker) **e.** Währungen (ich war immer gut in Mathematik)

2.

> Was würden Sie bauen, wenn Sie Politiker wären? Schulen? –
> Ja, ich würde Schulen bauen. (Nein, es gibt schon genug Schulen.)

a. Schulen **b.** Eigentumswohnungen **c.** Sportplätze **d.** Fabriken **e.** Universitäten **f.** Städte **g.** Flughäfen **h.** Finanzämter **i.** Eisenbahnen

3.

> Wir müssen schnell fahren. Wir wollen um sechs in München sein.
> Wir müssen schnell fahren, wenn wir um sechs in München sein wollen.

a. Wir müssen schnell fahren. Wir wollen um sechs in München sein. **b.** Wir müssen viel sparen. Wir wollen nächstes Jahr ein Haus bauen. **c.** Er muß viel arbeiten. Er möchte 2000 Mark verdienen. **d.** Sie muß sofort ein Taxi bestellen. Sie will jetzt in die Stadt fahren. **e.** Ich muß ihn gleich anrufen. Er soll heute abend kommen.

4.

> Können Sie Fußball spielen? –
> Nein, aber ich interessiere mich dafür. Ich würde es gern lernen.

a. Fußball spielen **b.** fotografieren **c.** kegeln **d.** Auto fahren **e.** Klavier spielen **f.** Englisch **g.** Französisch **h.** Italienisch **i.** Spanisch

5.

> Warum würden Sie die Autos abschaffen? –
> Damit man wieder atmen kann.

a. die Autos abschaffen (man kann wieder atmen) **b.** Schulen bauen (die Kinder können etwas lernen) **c.** die Grenzen abschaffen (man kann reisen, wohin man will) **d.** eine Fußballmannschaft gründen (die Kinder können Sport treiben) **e.** die Flughäfen abschaffen (die Menschen können wieder schlafen)

6.

> Ich gebe meiner Tochter Geld. Sie kann sich ein Kleid kaufen.
> Ich gebe meiner Tochter Geld, damit sie sich ein Kleid kaufen kann.

a. Ich gebe meiner Tochter Geld. Sie kann sich ein Kleid kaufen. **b.** Er schickt seinem Sohn tausend Mark. Er kann nach Griechenland fahren. **c.** Wir schenken ihm ein Ticket. Er kann nach New York fliegen. **d.** Bringen Sie den Herren das Essen. Sie können anfangen.

7.

> Wohin würden Sie reisen, wenn Sie eine Million Mark gewinnen? –
> Ich weiß nicht, wohin ich reisen würde.

a. Wohin würden Sie reisen, wenn Sie eine Million Mark gewinnen? **b.** Was würden Sie tun, wenn Sie Politiker wären? **c.** Was würden Sie sagen, wenn ich Ihnen mein Auto schenke? **d.** Was würden Sie sagen, wenn Ihre Tochter per Anhalter nach Afrika reist?

8.

> Haben Sie Ihr großes Klavier noch? –
> Nein, das mußte ich abschaffen, weil meine Wohnung zu klein ist.

a. Haben Sie Ihr großes Klavier noch? (die Wohnung ist zu klein) **b.** Haben Sie Ihren schnellen Sportwagen noch? (meine Familie ist zu groß) **c.** Hat die Bundesbahn die alten Lokomotiven noch? (sie waren zu langsam) **d.** Hat die Lufthansa die alten Maschinen noch? (sie waren zu klein)

9.

> Wie lange verreisen Sie, sechs Wochen? Haben Sie soviel Zeit?

a. Wie lange verreisen Sie, sechs Wochen? (Zeit) **b.** Wieviel kostet Ihr Haus, 300 000,— Mark? (Geld) **c.** Wie lange arbeiten Sie, vierzehn Stunden? (Arbeit) **d.** Wie lange bleiben Sie in Amerika, zwei Monate? (Urlaub)

10.

> Finden Sie es richtig, daß die Polizisten so wenig verdienen? –
> Nein, aber wie wollen Sie das ändern?

a. Die Polizisten verdienen so wenig. **b.** Die Kinder müssen jeden Tag zur Schule gehen. **c.** Man muß jeden Tag arbeiten. **d.** Die Flugzeuge machen so viel Lärm. **e.** Die Theaterkarten sind so teuer. **f.** Die Menschen bringen sich gegenseitig um. **g.** Flugkapitäne verdienen so viel. **h.** Studenten haben so lange Ferien.

11.

> Man sollte eine Weltregierung gründen. –
> Ich weiß nicht, ob ich das tun würde. Die Idee ist nicht neu.

a. Weltregierung (Die Idee ist nicht neu.) **b.** Firma (Das kostet sehr viel Geld.) **c.** Beatgruppe (Das kostet sehr viel Zeit.) **d.** Fußballmannschaft (Hier gibt es keinen Fußballplatz.) **e.** Kegelclub (Kegeln ist kein moderner Sport.)

12.

Ein paar Fragen:

a. Wie lange lernen Sie jetzt schon Deutsch? **b.** Warum lernen Sie Deutsch? **c.** Brauchen Sie es für Ihren Beruf? **d.** Wollen Sie in die Bundesrepublik reisen? **e.** Wollen Sie in Österreich oder in der Schweiz Urlaub machen? **f.** Oder wollen Sie deutsche Bücher und Zeitungen lesen? **g.** Wollen Sie in der Bundesrepublik arbeiten? **h.** Oder interessieren Sie sich für das deutsche Theater? **i.** Wie finden Sie Ihr Lehrbuch Deutsch 2000? **j.** Ist es das schlechteste oder das beste Buch, das Sie je gesehen haben? **k.** Ist es interessant, oder finden Sie es gräßlich? **l.** Ist es zu schwer oder zu leicht, oder ist es gerade richtig?

Sagen Sie Ihre Meinung! Wenn Sie wollen, können Sie uns auch schreiben.

DAS ALPHABET

A (a)	B (b)	C (c)	D (d)	E (e)	F (f)	G (g)	H (h)
I (i)	J (j)	K (k)	L (l)	M (m)	N (n)	O (o)	P (p)
Q (q)	R (r)	S (s)	T (t)	U (u)	V (v)	W (w)	X (x)
Y (y)	Z (z)

ß heißt „eszet"

DIE UHRZEIT

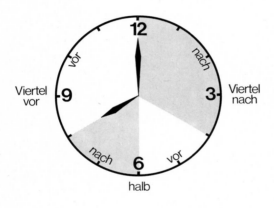

Wie spät ist es?

8 (Uhr)
20 vor 7
20 nach 10
halb 10
Viertel vor 3
Viertel nach 2

Wann geht mein Flugzeug?

9.30 Uhr (9 Uhr 30)
10.20 Uhr (10 Uhr 20)
15.00 Uhr (15 Uhr)
16.15 Uhr (16 Uhr 15)
20.45 Uhr (20 Uhr 45)
23.50 Uhr (23 Uhr 50)

DEUTSCHES GELD

LISTE DER VERBEN

abheben	*hob . . . ab*	*hat abgehoben*
abholen	holte . . . ab	hat abgeholt
abschaffen	schaffte . . . ab	hat abgeschafft
abschleppen	schleppte . . . ab	hat abgeschleppt
ändern	änderte	hat geändert
anfangen (fängt . . . an)	*fing . . . an*	*hat angefangen*
ankommen	*kam . . . an*	*ist angekommen*
anmelden	meldete . . . an	hat angemeldet
annehmen (nimmt . . . an)	*nahm . . . an*	*hat angenommen*
anrufen	*rief . . . an*	*hat angerufen*
(sich) ansehen	*sah . . . an*	*hat angesehen*
(sieht . . . an)		
antworten	antwortete	hat geantwortet
anziehen	*zog . . . an*	*hat angezogen*
applaudieren	applaudierte	hat applaudiert
arbeiten	arbeitete	hat gearbeitet
(sich) ärgern	ärgerte	hat geärgert
atmen	atmete	hat geatmet
auflegen	legte . . . auf	hat aufgelegt
aufräumen	räumte . . . auf	hat aufgeräumt
aufstehen	*stand . . . auf*	*ist aufgestanden*
ausgehen	*ging . . . aus*	*ist ausgegangen*
aussehen (sieht . . . aus)	*sah . . . aus*	*hat ausgesehen*
aussteigen	*stieg . . . aus*	*ist ausgestiegen*
bauen	baute	hat gebaut
beantworten	beantwortete	hat beantwortet
beginnen	*begann*	*hat begonnen*
begrüßen	begrüßte	hat begrüßt
bekommen	*bekam*	*hat bekommen*
beschimpfen	beschimpfte	hat beschimpft
besichtigen	besichtigte	hat besichtigt
bestellen	bestellte	hat bestellt
bezahlen	bezahlte	hat bezahlt
bleiben	*blieb*	*ist geblieben*
brauchen	brauchte	hat gebraucht
bringen	*brachte*	*hat gebracht*
denken	*dachte*	*hat gedacht*
diskutieren	diskutierte	hat diskutiert
dürfen (darf)	*durfte*	*hat gedurft*

einkaufen	kaufte . . . ein	hat eingekauft
einladen (lädt . . . ein)	*lud . . . ein*	*hat eingeladen*
einpacken	packte . . . ein	hat eingepackt
einsteigen	*stieg . . . ein*	*ist eingestiegen*
(sich) entscheiden	entschied	hat entschieden
(sich) erholen	erholte	hat erholt
erwähnen	erwähnte	hat erwähnt
erzählen	erzählte	hat erzählt
essen (ißt)	*aß*	*hat gegessen*
fahren (fährt)	*fuhr*	*ist gefahren*
fassen (faßt)	faßte	hat gefaßt
fehlen	fehlte	hat gefehlt
fernsehen (sieht . . . fern)	*sah . . . fern*	*hat ferngesehen*
feststehen	*stand . . . fest*	*hat festgestanden*
finden	*fand*	*hat gefunden*
fliegen	*flog*	*ist geflogen*
fotografieren	fotografierte	hat fotografiert
fragen	fragte	hat gefragt
(sich) freuen	freute	hat gefreut
geben (gibt)	*gab*	*hat gegeben*
gefallen (gefällt)	*gefiel*	*hat gefallen*
gehen	*ging*	*ist gegangen*
gehören	gehörte	hat gehört
genügen	genügte	hat genügt
gewinnen	*gewann*	*hat gewonnen*
glauben	glaubte	hat geglaubt
gründen	gründete	hat gegründet
haben (hat)	*hatte*	*hat gehabt*
halten (hält)	*hielt*	*hat gehalten*
hängen	*hing*	*hat gehangen*
heben	*hob*	*hat gehoben*
heißen	*hieß*	*hat geheißen*
helfen (hilft)	*half*	*hat geholfen*
herbringen	*brachte . . . her*	*hat hergebracht*
hereinkommen	*kam . . . herein*	*ist hereingekommen*
hingehen	*ging . . . hin*	*ist hingegangen*
hinschicken	schickte . . . hin	hat hingeschickt
holen	holte	hat geholt
hören	hörte	hat gehört
(sich) interessieren	interessierte	hat interessiert

kaufen	kaufte	hat gekauft
kegeln	kegelte	hat gekegelt
kennen	*kannte*	*hat gekannt*
kennenlernen	lernte . . . kennen	hat kennengelernt
klingeln	klingelte	hat geklingelt
kommen	*kam*	*ist gekommen*
können (kann)	*konnte*	*hat gekonnt*
kosten	kostete	hat gekostet
laufen (läuft)	*lief*	*ist gelaufen*
leben	lebte	hat gelebt
legen	legte	hat gelegt
lernen	lernte	hat gelernt
lesen (liest)	*las*	*hat gelesen*
liegen	*lag*	*hat gelegen*
losgehen	*ging . . . los*	*ist losgegangen*
machen	machte	hat gemacht
meinen	meinte	hat gemeint
(sich) melden	meldete	hat gemeldet
mitbringen	*brachte . . . mit*	*hat mitgebracht*
mitfahren (fährt . . . mit)	*fuhr . . . mit*	*ist mitgefahren*
mitgehen	*ging . . . mit*	*ist mitgegangen*
mitkommen	*kam . . . mit*	*ist mitgekommen*
mitnehmen	*nahm . . . mit*	*hat mitgenommen*
(nimmt . . . mit)		
mitteilen	teilte . . . mit	hat mitgeteilt
müssen (muß)	*mußte*	*hat gemußt*
nachdenken	*dachte . . . nach*	*hat nachgedacht*
nachsehen (sieht . . . nach)	*sah . . . nach*	*hat nachgesehen*
nehmen (nimmt)	*nahm*	*hat genommen*
öffnen	öffnete	hat geöffnet
packen	packte	hat gepackt
passieren	passierte	ist passiert
pfeifen	*pfiff*	*hat gepfiffen*
probieren	probierte	hat probiert
raten (rät)	*riet*	*hat geraten*
rauchen	rauchte	hat geraucht
regnen	regnete	hat geregnet

reichen	reichte	hat gereicht
reisen	reiste	ist gereist
reparieren	reparierte	hat repariert
reservieren	reservierte	hat reserviert
rufen	*rief*	*hat gerufen*
sagen	sagte	hat gesagt
sammeln	sammelte	hat gesammelt
schenken	schenkte	hat geschenkt
schicken	schickte	hat geschickt
schlafen (schläft)	*schlief*	*hat geschlafen*
schließen	*schloß*	*hat geschlossen*
schneiden	*schnitt*	*hat geschnitten*
schreiben	*schrieb*	*hat geschrieben*
schulden	schuldete	hat geschuldet
sehen (sieht)	*sah*	*hat gesehen*
sein (ist)	*war*	*ist gewesen*
servieren	servierte	hat serviert
singen	*sang*	*hat gesungen*
sitzen	*saß*	*hat gesessen*
skifahren (fährt . . . ski)	*fuhr . . . ski*	*ist skigefahren*
sollen (soll)	*sollte*	*hat gesollt*
sparen	sparte	hat gespart
spazierengehen	*ging . . . spazieren*	*ist spazierengegangen*
spielen	spielte	hat gespielt
sprechen (spricht)	*sprach*	*hat gesprochen*
spülen	spülte	hat gespült
starten	startete	ist gestartet
stehen	*stand*	*hat gestanden*
stellen	stellte	hat gestellt
stimmen	stimmte	hat gestimmt
stören	störte	hat gestört
streichen	*strich*	*hat gestrichen*
studieren	studierte	hat studiert
suchen	suchte	hat gesucht
telefonieren	telefonierte	hat telefoniert
treffen (trifft)	*traf*	*hat getroffen*
treiben	*trieb*	*hat getrieben*
trinken	*trank*	*hat getrunken*
tun	*tat*	*hat getan*
übernachten	übernachtete	hat übernachtet
umrechnen	rechnete . . . um	hat umgerechnet

(sich) umsehen (sieht . . . um)	sah . . . um	hat umgesehen
unterbrechen (unterbricht)	unterbrach	hat unterbrochen
(sich) verabreden	verabredete	hat verabredet
(sich) verbeugen	verbeugte	hat verbeugt
verbieten	verbot	hat verboten
verbinden	verband	hat verbunden
verbringen	verbrachte	hat verbracht
verdienen	verdiente	hat verdient
vergessen (vergißt)	vergaß	hat vergessen
vergleichen	verglich	hat verglichen
verkaufen	verkaufte	hat verkauft
vermieten	vermietete	hat vermietet
verpassen (verpaßt)	verpaßte	hat verpaßt
verreisen	verreiste	ist verreist
versäumen	versäumte	hat versäumt
verschieben	verschob	hat verschoben
verschlafen (verschläft)	verschlief	hat verschlafen
versprechen (verspricht)	versprach	hat versprochen
verstehen	verstand	hat verstanden
verwarnen	verwarnte	hat verwarnt
vorbeigehen	ging . . . vorbei	ist vorbeigegangen
vorkommen	kam . . . vor	ist vorgekommen
wandern	wanderte	ist gewandert
warten	wartete	hat gewartet
weiterfahren (fährt . . . weiter)	fuhr . . . weiter	ist weitergefahren
weitergehen	ging . . . weiter	ist weitergegangen
wissen (weiß)	wußte	hat gewußt
wohnen	wohnte	hat gewohnt
wollen (will)	wollte	hat gewollt
(sich) wünschen	wünschte	hat gewünscht
zahlen	zahlte	hat gezahlt
zeigen	zeigte	hat gezeigt
zurückfahren (fährt . . . zurück)	fuhr . . . zurück	ist zurückgefahren
zurückfliegen	flog . . . zurück	ist zurückgeflogen
zurückkommen	kam . . . zurück	ist zurückgekommen
zusehen (sieht . . . zu)	sah . . . zu	hat zugesehen

WORTSCHATZREGISTER

Die Zahlen verweisen auf die Lektionen, in denen das betreffende Wort in einer bestimmten Bedeutung zum erstenmal vorkommt.

ab 18
(guten) Abend 2
Abendessen 10
abends 10
aber 2
abheben 13
abholen 16
abschaffen 24
abschleppen 8
Abteilung 23
ach 15
Afrika 16
Akkordeon 18
alle 18
allein 3
alleinstehend 18
allerdings 23
alles 7
alles Gute 15
Alpen 19
als 19
also 5
alt 18
am 5
Amerika 16
Amerikaner 19
amerikanisch 23
an 9
Ananas 4
ändern 24
anders 10
anfangen 11
angewiesen 18
(per) Anhalter 9
ankommen 7
anmelden 8
annehmen 20
anrufen 7
Ansagerin 2
(sich) ansehen 10
antworten 3
Anzeige 18
anziehen 21
Anzug 16
Aperitif 11
Apfelsaft 5
Apotheke 18
Apparat 8

applaudieren 21
April 15
Arbeit 8
arbeiten 1
Arbeitszimmer 23
ärgerlich 7
(sich) ärgern 12
Argument 20
Arzt 18
Asien 16
atmen 24
Atom-Ei 19
atonal 21
auch 3
auf 7
auflegen 11
aufräumen 14
aufstehen 12
auf Wiederhören 8
auf Wiedersehen 3
Auge 21
Augenblick 6
August 15
aus 2
Ausbildung 20
Ausflug 12
Ausgang 21
ausgehen 13, 21
ausgezeichnet 17
Ausland 3
aussehen 23
aussteigen 9
Australien 16
Auto 9
Autobahn 9
Autofahrer 21
Autofahrt 17
Autohaus 8
Automobilfabrik 19
Autoschlüssel 8

Bad 13
Badewanne 21
Bahnhof 6
bald 16
Balkon 11
Bank 18

bauen 9
bayerisch 19
Bayern 13
beantworten 22
Beat 10
Beatgruppe 24
Beatmusik 10
Beefsteak 5
beginnen 3
begrüßen 5
bei 13
beide 13
beim 13
(zum) Beispiel 15
bekommen 13
belegt 11
Bemühungen 18
Beruf 2
berühmt 23
beschimpfen 21
besetzt 21
besichtigen 9
Besichtigung 19
Besprechung 7
besser 21
beste 18
bestellen 5
Besuch 10
betrifft 18
Betrüger 21
Bett 10
bezahlen 21
Bier 4
Biergläser 11
billig 15
bis 7
bißchen 22
bitte 2
bleiben 8
Brasilien 3
brauchen 4
braun 15
braungebrannt 17
Brief 7
Briefmarke 22
Brieftasche 7
Briefträger 16
bringen 5

Brot 11
Bruder 9
Buch 10
Bühne 21
Bummel 17
Bundesrepublik
    Deutschland 9
Büro 7
Bus 6
Butterbrot 21

Chef 8
Comics 10
Couch 12

da 4
Dach 19
dafür 17
dagegen 20
dahinten 6
damals 19
Dame 2
damit 24
Dampfer 17
Dampferfahrt 17
daneben 18
Dank 2
danke 5
dann 3
darunter 19
das 1
daß 18
Decke 23
dein 12
dem 11
den 6
denken 12
denn 4
der 2
deshalb 18
deutsch 9
Dezember 15
dich 11
die 2
Dienstag 13
dienstags 13

163

Sommer 10
Sonne 17
Sonntag 10
Sonntagmorgen 13
sonntags 13
soviel 24
Spanien 15
Spanisch 24
sparen 9
spät 5
später 14
spätestens 8
spazierengehen 22
Spaziergänger 16
Speisekarte 5
spielen 10
Spiel 3
Spielzimmer 23
Sport 10
Sportplatz 24
Sportwagen 15
sprechen 8
spülen 11
Staat 20
Stab 21
Stadion 19
Stadt 6
Stadtplan 18
Stadtrundfahrt 14
starten 19
stehen 7, 15
stellen 11
Steuererklärung 21
Stewardeß 20
stimmen 10, 21
Stock 14
stören 13
Straße 7
Straßenbahn 6
Straßenbahnhalte-
  stelle 18
streichen 22
Strumpf 16
Stück 9, 21
Student 1
Studentin 17
studieren 1
Studio 2
Stunde 9
Stunden-
  kilometer 19
suchen 18
Südamerika 3
Süden 19
Supermarkt 4

Tabak 3
Tabakimporteur 3
(guten) Tag 5
tatsächlich 13
Taxi 7
Taxizentrale 7
Team 2
Technik 23
Tee 14
Teil 21
Telefon 12
telefonieren 8
Tennis 10
Tennisspielen 15
Teppich 13
teuer 15
Theater 9
Theaterkarte 14
Theaterprogramm
  14
Thema 21
Ticket 7
Tisch 7
Toast 14
Tochter 10
Tomate 4
Tomatensuppe 5
Tourist 23
Touristengruppe 23
treffen 9
treiben 10
trinken 5
trotzdem 20
tun 21
Tür 13
Turm 19

U-Bahn 21
über 10
überall 16
überhaupt 9
übermorgen 9
übernachten 13
übrigens 10
Uhr 7
Uhrzeit
um 7
(sich) umbringen 24
umrechnen 24
(sich) umsehen 21
und 1
Unfall 12
ungefähr 9
Ungerechtigkeit 20
uninteressant 21

Universität 21
unmöglich 11
uns 9
unser 7
unter 18
unterbrechen 17
Unterbrechung 16
unterwegs 9
Urlaub 9

Vater 10
(sich) verabreden 15
Verantwortung 20
(sich) verbeugen 21
verbieten 24
verbinden 8
verboten 18
verbringen 17
verdienen 20
vergessen 11
vergleichen 20
Verhältnis 20
verheiratet 9
verkaufen 21
Verkäuferin 1
verkehrsgünstig 18
Verkehrsmaschine
  23
Verkehrsmittel 18
vermieten 18
verpassen 12
verreisen 16
versäumen 22
verschieben 7
verschlafen 12
versprechen 8
verstehen 11
Verwaltung 19
verwarnen 21
viel 2
vielleicht 9
Viertel 5
Viertelstunde 7
voll 9
vom 14
von (Beruf) 2
vor 5
vorbei 21
vorbeigehen 21
vorher 20
vorkommen 14
vorläufig 16
vorübergehend 16

Wagen 7
wahnsinnig 16
wahr 20
während 21
Währung 24
wandern 10
Wankelmotor 23
wann 7
warten 6
warum 9
was 1
Wäsche 16
weil 9
Wein 4
weiß 15
Weißbrot 4
weit 6
weiterfahren 9
weitergehen 23
Welt 19
Weltgeschichte 24
Weltregierung 24
Weltreise 16
wem 14
wen 8
wenig 9
wenigstens 10
wenn 18
wer 1
Werkstatt 7
Westen 19
Wetter 17
Whisky 14
wichtig 18
wie 2
wieder 7
(auf) Wiederhören 8
(auf) Wiedersehen 3
Wiener Schnitzel 5
wieso 16
wieviel 16
Winter 10
wir 4
wirklich 24
Wirtschaft 16
wissen 8
wo 1
Woche 9
wofür 10
woher 2
wohin 3
wohl 9
wohnen 1
Wohnung 13
Wohnzimmer 10

1
München
Rathaus und
Frauenkirche

2
Berlin
Gedächtniskirche

3
Köln am Rhein
Dom und Kirche
St. Martin

4
Nürnberg
Dürer-Haus

5
Rüdesheim am Rhein
Drosselgasse

6
Salzburg
(Österreich)

7
Wien
(Österreich)

8
Der Genfer See
(Schweiz)

9   Schloß Ludwigsburg bei Stuttgart

10   Der Tegernsee

11 Hamburg

12 Hannover, Rathaus

13
München
Olympia-Park

14
Der Flughafen
in Frankfurt

15
München
Cuvilliés-Theater

16
München
Deutsches Museum
Prunkwagen
König Ludwigs II.

17
Flugzeug-Abteilung

18
Mercedes-Benz-
Sportwagen
1928

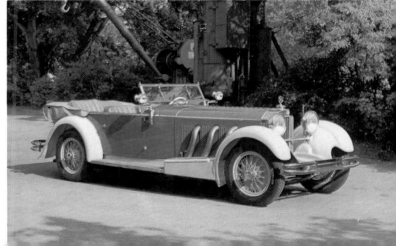

19
Düsseldorf

20
Bremen
Marktplatz und Roland

21
Aachen